KB150263

광야

오르페우스 화가(Orpheus Painter) 양식, 아티카 적화식 항아리(Column-krater), 서기전 440년, 베를린 고대박물관(사진출처: LIMC VII, "Orpheus," no.9).

아티카 적화식 술병(oinochoe), 바젤 고대 박물관(사진출처: LIMC Supplementum I, "Orpheus," add.6).

사세타, 〈금 유혹을 받는 안토니우스〉, c. 1440, 패널에 템페라
와 금, 48 × 35 cm, 메트로폴리탄 미술관

프라 안젤리코, 〈테바이드〉, c. 1420, 패널에 템페라, 73.5 × 208 cm, 우피치 미술관

로렌초 로토, 〈광야 속의 성 제롬〉, c. 1509,
패널에 유화, 80.5 × 61 cm, 산탄젤로 국립 박물관

루카스 크라나흐, 〈참회하는 성 히에로니무스〉,
1502.

알트도르퍼, 〈성 프란체스코와 성 히에로니무스〉1507.

알브레흐트 뒤러, 〈성흔을 받는 성 프란체스코〉,
1503-04.

프리드리히, 〈산중의 십자가: 체첸제단화〉,
1808 , 유화, Staatliche Kunstsammlungen
Dresden, Galerie Neue Meister

프리드리히, 〈떡갈나무 숲의 수도원〉, 1810, 유화, Staatliche Museen zu Berlin

프리드리히, 〈바닷가의 수도승〉, 1810, 유화, Staatliche Museen zu Berlin

프란시스 알리스, 〈실천의 모순 1: 때로는 무엇을 하는 것이 무의 결과를 낳는다〉, 1997, 퍼포먼스 기록 사진, 멕시코시티.

빌 비올라, 〈우리는 날마다 나아간다〉, 네번째 패널 "여행"

빌 비올라, 〈내부 통로〉, 2013, 비디오, 17min

성당과 순례공간 진입동선의 구분(갑곶순교성지)

십자가의 길의 체험요소(갑곶순교성지)

광야

인천가톨릭대학교 조형예술대학
그리스도교미술연구소 編

학연문화사

그리스도교 미술연구총서 (9)
'광야'를 펴내며

2005년 시작된 인천가톨릭대학교의 그리스도교미술 심포지엄은 그리스도교의 주요 상징들인 십자가, 부활, 천사, 성모마리아, 빛, 문, 성경의 재해석, 생명에 이어, 2016년에는 '광야'를 주제로 이루어졌습니다.

광야는 구약의 백성이 가나안 복지에 들어가는 길목이었고 하느님의 백성이 탄생하는 장소였습니다. 광야는 인간의 나약함을 드러내는 곳일 뿐 아니라 하느님의 자비가 개선하는 곳이기도 합니다.

송봉모 신부의 『광야에 선 인간』 중에서는 광야를 이렇게 말하고 있습니다.

광야란 말 앞에서 어떤 느낌을 갖든 하나같이 부정적인 느낌이 드는 것은 그곳에서 인간이 할 수 있는 것이 별로 없기 때문입니다.

우리 안에는 영혼의 광야가 있습니다. 우리는 모두 피조물로서 유한한 생명과 한계성을 지니고 살아야 하는 실존적 광야를 가지고 있습니다. 우리는 누구도 천년만년 살 수 없습니다. 이런 보편적 광야 외에도 우리는 모두 자기만의 광야가 있습니다. 어떤 사람은 자식 때문에 생이 광야가 되어 고통스러울 것이요, 어떤 사람은 배우자 때문에 생이 광야가 되어 고통스러울 것이요, 어떤 사람은 열등감 때문에 생이 광야가 되어서 늘 초라한 모습으로 서성거리며 살 것입니다.

각 사람 안에 있는 광야의 모습은 제각기 다릅니다. 중요한 것은 나의 광야가 무엇인지 깊이 보고 깨닫는 것입니다. 내 안에서 그리고 내가 속한 가정과 공동체 안에서 참 자유와 해방이 이뤄지기 위해서는 먼저 나의 광야가 무엇인지를 깊이 들여다 봐야 합니다.

이렇게 인간의 삶 안에 부여하는 각기 다른 "광야"를 일곱 분의 연구자는 각기 다른 접근 방법, 즉 철학적, 신학적, 사회적인 관점과 공간적, 예술적 관점에서 다양한 각도에서 광야의 의미를 반추하고 앞으로의 지향점을 밝혀주셨습니다. 이러한 빛나는 연구자들의 노고와 더불어 인천가톨릭대학교 그리스도교 미술연구소의 그리스도교미술 심포지엄은 한국 교회 내에 그리스도교미술의 미래지향적 가치로 풍성한 열매를 맺게 될 것을 확신합니다. 다시 한번 이러한 논문집이 나오기까지 폭넓은 연구와 심층 깊은 논문을 써 주신 연구자분들께 깊이 감사드립니다. 그리고 그리스도교미술연구소 연구원들과 연구조교 정윤정 선생님의 수고에 감사드립니다. 끝으로 출판을 맡아주신 학연문화사 권혁재 대표님과 관계자 여러분께 감사드립니다.

2017년 9월
그리스도교미술 연구소장 윤인복

차 례

과르디니의 가라앉은 세계와 떠오르는 세계 현대문명과 인간의 위기

장동훈 (인천가톨릭대학교)

'에레미아(ερημία)'의 오르페우스.
서기전 5세기 아티카 도기화를 중심으로.

김혜진 (한국외국어대학교)

광야의 이미지와 역할: 15-16세기 초 이탈리아 중북부 회화를 중심으로

이지연 (한국예술종합학교)

광야의 성인들 : 독일 풍경화의 '성 프란체스코'와 '성 히에로니무스'

손수연 (홍익대학교)

카스파 다비드 프리드리히의 풍경화에 투영된 '광야'의 다의적 알레고리에 관한 연구

김향숙 (홍익대학교)

현대미술에 나타난 광야의 재해석

한의정 (홍익대학교)

현대도시의 광야로서 순례지의 의미 및 공간구성 연구 : 갑곶순교성지를 사례로

이승지 (인천가톨릭대학교)

과르디니의 가라앉은 세계와 떠오르는 세계
현대문명과 인간의 위기

장동훈(인천가톨릭대학교)

1. 여는 말

우리 몸은 누구의 소유인가? 2015년 11월 16일, 쌀값 인상과 노동법 개악 중단 등을 요구하는 대규모 시위에 참여한 한 농민의 죽음 이후 뜨겁게 촉발된 물음이다. 전라도에서 올라와 시위 도중 경찰의 물대포에 맞아 쓰러진 농민 백남기씨는 병원으로 후송된 후 뇌사판정을 받았고 이후 317일 동안 연명하다 지난 9월 26일 사망했다. 진료를 담당했던 의사는 사망확인서에 사인을 외인사가 아닌 연명치료 중 발생한 급성신부전 등, 합병증으로 인한 병사로 표기했다. 누가 봐도 물대포에 의한 두개골 골절, 명백한 외인사였다. 문제는 여기서 시작되었다. 경찰은 사망의 정확한 원인을 밝혀내야한다는 이유로 부검을 주장하게 되었고 유가족은 이미 명백한 사인에 다시 시신을 훼손할 이유가 없다며 부검을 완강히 거부하고 있다. 시신에 대한 소유를 주장하는 국가와 이를 지키려는 가족 측의 대치는 이렇게 근 한 달을 넘겼다. 농민의 몸은 장례 날짜도 잡지 못한 채 냉동고에 갇혀있다.

어느 칼럼니스트의 말대로 죽어 다시 땅으로 돌아가는 "망자가 가는 길은 만만치" 않은 것이다.[1] 죽어 썩어 없어지는 세상의 자연스런 이치가 복잡하고 고단한 여정이 되었다. 농민의 주검은 경찰에게는 수사 중인 사건의 '증거물'인 것이고, 부검을 반대하는 유가족에게는 여전히 아버지이자 남편인 가족의 일원이다. 이 죽은 몸은 과연 무엇인가? 살아생전의 그의 육신은 그 자체이자 아버지로, 남편으로, 불리던 가족의 일원이고 국가의 입장에서는 국민이자 납세자의 몸이다. 생전의 것을 사회적 몸(social body)이라 한다면, 죽음 이후의 몸(body)은 또 무엇인가? 언젠가는 사라질 몸이지만 그렇다고 단순한 어떤 '물질'이라고도 볼 수 없는 것이다. 망자에 대한 사회적 통념을 보더라도 그것은 물질 그 이상의 것이다.

생각해보면 지금 우리는 기괴한 장면을 목격하고 있는 것이다. 태어나고 죽는 생명의 자연스러운 순리, '자연법적 질서'는 전혀 '자연스럽지 않은 것'이 되었다. 어떤 누구의 허락도 없이 생겨난 생명이지만 탄생부터 소멸까지, 아니 죽음 이후까지 사회는 끊임없이 생명에 개입한다. 사망 확인부터 매장 허가까지, 땅으로 돌아가는 일조차 누군가의 허가를 득해야하는 복잡하고 거추장스런 것이 되었다. 모두, 법이라는 이름으로, 사회적 약속이란 이름으로 어떤 '문명적'인 일로 이해되고 행해지던 일이다. 그러나 그것은 정말 문명적인 일일까?

현대문명은 어쩌면 태어나 살다 다시 땅으로 돌아가는 순리, 인간에 대한 가장 기초적인 자연법적 존엄조차 지켜주지 못하고 있는 것은 아닌가? 가만히 생각해보자. 법과 질서라는 온갖 문명사적 수사를 가져다 붙인다 해도, 결국 그것은 본인은 물론 유가족의 동의조차 없는, 시신을 해체하는 즉물적인 행위에 냉동고와 의료기기, 법이라는 문명의 첨단을 동원하는 '기괴한' 일 아니던가. 의학적 지식과 법의학적 해석 등 온갖 복잡한 말들로 포장되지만, 결국 죽은 이의 뼈를 가르고 내장을 헤집자는 말 아니던가. 마치 인종학살이라는 가장 야만적이고 반인륜적인 행위를 위해 당대 가장 진보된 기술을 총화해 고안해낸 아우슈비츠 가스실의 기억처럼, 3년 전 바다 한 가운데에서 벌어진 생매장을 최첨단 매체들로 실시간 목격한 우리의 낯설고 해괴한 체험처럼 말이다. 백남기 사건은 어쩌면 또 하나의 아우슈비츠 인 것이다.

1) 정희진, "망자의 몸은 누구의 것인가", 경향신문 2016년 10월 3일 참조.

법과 기술, 사회적 제도(국가를 포함한) 등, 이 '문명'은 애초에 인간을 위해 고안된 것 아닌가? 그렇다면 그것이 인간을 규정하고 그에 대한 권리를 주장하는 것은 정당한 것인가? 아니, 도대체 가능한 일인가? 이 '문명' 사회에서 저 원시적이고 모순적인 체험들은 어떻게 설명될 수 있을까? 이러고도 과연 인간의 역사가 항상 진보해왔고 앞으로도 그럴 것이라 확신할 수 있는가?

이러한 물음들은 동시에 우리에게 이전까지 당연한 것으로 여겨졌던 것들이 모두 의문에 붙여지는 낯선 경험을 제공한다. 나를 보호할 그 어떤 것도 존재하지 않는 황무지, 생존과 안전을 오롯이 홀로 짊어져야하는 헐벗은 광야의 체험 말이다. 따라서 한 농민의 주검이 건네 온 물음은 결코 죽음의 이해당사자들만의 것이 아닌 것이다. 오히려 그것은 우리, 모든 동시대인들이 영위하는 오늘의 문화, 문명에 대한 질문, 그것도 절박한 물음인 것이다.

이번 발제는 앞선 물음에 답하고자하는 나름의 소박한 시도라 할 수 있다. 그렇다고 전혀 새로운 이야기를 하려는 것은 아니다. 분명한 답을 얻고자함도 아니다. 사실 이러한 작업들은 과거에도 또 오늘날에도 다양한 차원에서 끊임없이 반복되어왔다. 다만 여기서는 이 담론에 앞서 뛰어든 로마노 과르디니(Romano Guardini)[2]의 생각에 기대 매일 의문에 붙여지는 오늘의 모순들을 조금은 낯선 시선으로 바라보고자함이다.

---

[2] 1885년 이탈리아 베로나 태생으로 태어나자마자 독일 마인츠로 이주, 이탈리아계 독일인으로 살았다. 튀빙겐, 뮌헨과 베를린 대학 등에서 화학과 경제학을 공부하다가 프라이부르크와 튀빙겐에서 신학부에 진학, 1910년 마인츠에서 사제 서품 받았다. 보좌신부 생활을 하다가 프라이부르크로 가서 수학하며 1915년 성 보나벤투라에 대한 논문으로 박사학위를 받았다. 1922년 본 대학교에서 교의신학 대학교수 자격 취득, 1923년 베를린 대학의 종교철학 교수로 임용되어 "그리스도교 세계관"이라는 주제로 1939년 나치에 의해 강제로 물러나기 전까지 16년간 강의했다. 1935년 "구세주(Der Heiland)"를 통해 나치가 예수를 신화화하는 것을 공개적으로 비판하고 예수가 유대인이었다는 사실을 강조하였다. 이후 1943년부터 1945년까지 나치를 피해 은거하였다. 1945년 튀빙겐 대학교의 철학교수로 임용되어 봉직하다가 다시 1948년 뮌헨 대학의 요청으로 "그리스도교 세계관"을 강의하다 1962년 은퇴, 1968년 10월 1일 뮌헨에서 선종하였다.

2. "과거의 세계가 가라앉고 있네."[3)]

 법은 인간을 위해, 인간 사회의 유지를 위해 최소한의 한계로 고안되었다. 그러나 앞서 언급한 농민의 몸을 둘러싼 소유권 주장은 이 '최소한'으로 설정된 법이 그 한계를 넘어 그보다 우위인 인간의 자연법적 권리를 이미 압도하고 있음을 보여준다. 이러한 '전복', 전도의 현상은 지난세기 이전부터 두드러져 이제는 드물지 않은 일이 되었다.

 '극단의 세기'(age of extremes), '짧은 세기'(short century)로 일컬어지는 (니얼 퍼거슨) 20세기, 인류는 실제로 그 시간의 절반을 전쟁으로 소비했다. 마치 인류 스스로 자멸하기를 마음먹은 것처럼, 역사 이래 가장 오랜 기간, 가장 대규모로, 가장 많은 인명이 살상된 시간이었다. 그렇다고 이 불명예스러운 최상급들이 인간에 내재된 탐욕과 폭력성으로 모두 해명되는 것은 아니다. 역설적이게도 그것은 오랜 기간 인류가 쌓아올린 기술과 기계, 문명의 산물이다. 그렇다면 인류가 맞이할 앞으로의 시간은 어떤 것인가? 무엇이 우리를 다시 위태롭게 할 것인가? 당연한 것이겠지만, 이러한 물음들에 답하고자하는 열망들은 극단의 시간을 관통한 사람들일수록 더 강렬했다. 자신들의 세상이 가라앉는 소리를, 그것도 쾅하고 폭발하듯 주저앉는 소리를 직접들은 이들일수록 이 문명이라는 거대한 배의 침몰에 더 예민했다. 우린 그중 한 사람인 로마노 과르디니를 주목하고자한다.

 사제, 신학자, 철학자, 작가, 여러 수식을 달고 있는 그는 신학과 철학 그 중간쯤의 사유를 하던 인물이다. '참호전'으로 기억되는 일차세계대전 후 잿더미의 인류를 목도한 그는 현대 문명이 가져온 인간의 프로메테우스적 신화의 허상에 대한 비판을 '세계관 강의'라는 대중강의를 통해 체계화하였다. 그의 말년까지 이어진 이 강의에는 종교 여부를 떠나 늘 청중들로 가득했다고 전해진다. 늘 '진보'할 줄만 알았던 과학 문명이 가져온 것이 결국 세계대전이라는 참화란 사실에 충격을 받은 당대 사람들의 갈증을 엿볼 수 있는 대목이다. 지금이야 기계문명의 약진처럼 물질문명이 항상

---

3) 로마노 과르디니, 전헌호 역, *코모 호숫가에서 보낸 편지*. 성바오로출판사 1998, 107쪽.
  (이하 코모)

성장하고 진보할거라 순진하게 확신하는 이들은 없지만 (물론 매 새해벽두 경제 성장률을 공언하고, 이에 민감하게 반응하는 대중들을 보면 신화는 여전히 강고한 듯 보이지만) '개선주의적' 진보관이 지배적이던 당대의 분위기로 보아 그의 생각은 매우 선구자적이라고 할 수 있다.

간혹 그의 글은 가라앉고 있는 과거 세계에 대한 절절한 안타까움으로, 언뜻 보수적으로 읽혀질 수 도 있지만 그의 시선이 마지막에 가 닿는 곳은 무너진 어제가 아닌, 알 수 없는 내일였다. 그는 대게의 거인들이 그렇듯 과거의 거울에 비추어 내일을 전망했고 오래된 것들에서 미래를 찾고자했다. 그가 단순히 과거에 집착한 향수주의자가 아니었음은 세계관 강의의 연장선상에서 자신이 지도하던 젊은이들에게 보내는 편지의 형식으로 1923년부터 1925년까지 집필한 "기술과 인간"이라는 표제의 작품에[4] 잘 드러난다. 자신의 생활터전인 독일이 속한 북유럽에 비해 상대적으로 이전 세기의 향취를 여전히 머금고 있는 이탈리아 북부 호반도시 코모(Como)에 머물며 그는 도시(Urbanitas)속에 오랜 시간 잘 녹아내려있는 인류(Humanitas)가 어떤 얼굴을 지녔는지 확인한다. 그에 따르면 그것은 마치 그곳의 전경처럼, 제각각 모양의 집들이지만 모두 넘치거나 모자람 없이 마을 뒷산의 산세와 호수, 인간의 길과 광장들이 어우러진 일종의 조화, 생동하는 리듬감, 완전함이다. "이 문화는 매우 우아하면서도 지극히 당연한데, 나는 자연스럽다는 말 이외의 어떤 단어로도 이것을 표현해낼 수가 없네. 구석구석 인간의 손이 가지 않은 곳이 없어 인간 정신의 영향이 배어있으며, 소박하고 완전하다네. … 이러한 요소들은 그의 성장과정 중에 그의 본질 안으로 들어간 것이며, 천년의 기간이 걸린 형성의 유산인 것이지."[5]

---

4) 원제는 Die Technick und der Mensch을 한국에서는 "코모 호숫가에서 보낸 편지"로 바꾸어 출판했다.

5) 코모, 25쪽. 이 자연과 어우러진 인간 문명을 그리워했던 것은 과르디니만이 아니었다. 판타지 소설로 알려진 "반지의 제왕"의 저자 톨킨(J.R.R. Tolkien, 1892-1973)과 "나니아 연대기"의 루이스(C. S. Lewis 1898-1964)와 같은 동시대인들 역시 이런 풍광을 인간 도시의 이상향으로 그리고 있다. 톨킨 작품의 주인공으로 등장하는 호비트(hobbit)족은 작가가 그린 이상적 삶의 방식(자연과 어우러진 마을 풍경, 기계가 아닌 인간의 물리적 힘으로만 작동되는 도구들)를 가진 근대 이전의 인간상이다. 선과 악의 투쟁, 가치의 위계, 정신의 우월함을 주요 주제로 다루는 이들의 작품의 정신적 기초는 과르디니

간혹 자신의 고국처럼 산업화가 시작된 코모 시 외곽의 공장 굴뚝과 새로 건설된 "도식적이고 생기가 없고 추상적이며 목적에 따라 최대한 경제적으로 지어진" 마을들을 바라볼 때면 그는 서슴없이 "야만적"이라 단언했다. 그의 이런 시선은 "그렇다면 우리 고장은 계속 가난하게 머물라는 말이오? 그래서 당신들이 이곳에서 낭만적인 분위기를 만끽하도록 말이오!"라는 원주민의 항변도 받아야했다.[6]

그러나 그는 결코 자신이 걱정하는 것이 원주민의 항변처럼 '낭만적 분위기' 따위의 소멸이 아니라 그보다 더 근본적인 것, '인간'의 상실이었음을 분명히 한다. "나는 인간이 본래 의미의 삶을 더 이상 살아갈 수 없는 하나의 세상이 솟아 올라오고 있는 것을 분명하게 느끼고 있네. 어떤 형태로든 하나의 비인간적인 세상이 시작된 것이지."[7]

아무튼, 과르디니가 걱정하는 과거의 세계가 가라앉고 그 이후 떠오를 새로운 세계를 요약하자면, 그것은 1)인간의 직접적 수고가 감소하며 생겨나는 비인간적인 실제들과 2) 그로 인해 벌어지는 인간의 외부세계로부터의 소외, 나아가 3)상호 침투에 유구한 시간을 필요로 하는 정신과 물질 사이의 심각한 불균형이다. 짐작컨대 인류가 쌓아올린 문명의 이기로 서로 죽고 죽이는 파멸의 길을 택한 인류를 두 눈으로 확인한 그에게 이 '전복'된 내일은 너무나 자명했을 것이다. 그것은 목적을 배반한 도구, 다름 아닌 '인간'이라는 단어를 삭제해버린 기계문명이다.

3. 존재적 불안

금년 봄 난데없는 바둑 붐이 불었다. 슈퍼컴퓨터 알파고와 인간 바둑기사의 대국 때문이다. 사실 바둑에 대한 관심보다는 기계와 인간의 대결이라는 구도가 흥미로웠기 때문일 것이다. 시장의 국수집 아주머니까지 장사는 뒷전이고 찾아오는

와 마찬가지로 가라앉고 있는 그리스도교적 세계관이다. 셋 모두 양차 세계대전을 경험한 인물이라는 사실에서 이러한 구도는 더욱 선명해진다.
6) 코모, 46쪽.
7) 코모, 27쪽.

손님을 붙들고 대국의 승패에 대한 논평을 늘어놓을 정도였으니 그 열기가 어느 정도였는지 짐작할 수 있다. 비슷한 시기 일어난 중공업의 도산과 조선소 폐업과 같은 임박한 현실적 사태에 대해 단신으로 처리하던 시큰둥함과 대조적으로 언론도 전문가들을 섭외해 연일 이 세기의 대국을 분석했다. 코앞의 위기에도 도통 반응하지 않던 언론들이 일제히 바둑 하나를 두고 평소에 사용하지 않던 '인간 고유의 영역' 따위의 인문학적 수사들까지 동원해 먼 미래를 점치는 광경역시 이례적이었다. 언론과 전문가들은 이구동성 머지않은 미래에 기계가 거의 모든 영역에서 인간을 대체하고 앞서나갈 것이라는 '어두운' 미래를 예언했고, 사람들은 결국 기계가 대체할 수 없는 음악, 미술, 문학 등, 인간 고유의 영역을 애써 항변하듯 다시 확인했다.

이 과열된 반응은 무엇 때문일까? 그것은 비단 기계에게 굴복한 인간이라는 흥미로운 구도 때문만은 아닐 것이다. 이 열기의 감정적 실체는 바로 '두려움'이다. 그것은 단순히 나의 직업을 빼앗길 수 있다는 불안한 미래에 대한 두려움이 아니라, 그보다 더 근본적인 '존재적 불안', '인간 정체성'에 대한 위기감이다. 대국을 기획한 자본에게는 그것이 마케팅을 위한 한낱 이벤트에 불과했겠지만, 수많은 이들의 무의식에는 일종의 판도라의 상자였던 것이다. 인간을 인간으로 명명할 수 있는 최후의 것이 돌연 혼미해진 것이다.

인간의 손으로 성취했다고 믿었던 물질문명의 쾌거가 더 이상 인간만이 이룰 수 있는 고유의 업적이 아니라는 자각은 지금까지 인간이 스스로에게 투사하던 인간 존재의 유일성과 고유성을 일순간 증발시켜버리는 것이었을 것이다. 어떤 '기능'을 다해야 인간 구실을 할 수 있고, 그 쓸모 있음이 마치 인간 고유의 정체성으로 취급되는 오늘의 '기능주의적 가치체계'에서는 더 그렇다. 내가 쓸모 있는 존재이고 나만이 할 수 있는 일이 있다는 자부심은 대게 개별인간들의 삶을 지탱하기 위한 자기암시이지만 이와 같은 가치체계에서는 이제 인류 보편의 자기암시이기도 한 것이다.

이 '유용성'이라는 기초위에 세워진 인간 정체성의 붕괴 이후, 이제 인간은 유일하지도 고유하지도 않은, '우연적'이고 '잉여적'인 존재일 뿐이다. 그렇다면 이 엄청난 인간소외(엄밀한 의미에서 소외는 과르디니가 사용하지 않았던 용어이다. 그는 유사한 의미로 고립을 사용했다)는 어디로부터 시작된 것인가.

4. 내적 조화의 파괴

과르디니는 이 소외현상이 가속화된 시기를 1830년부터 1870년 즈음으로 본다.[8] 근대국가의 성장과 함께 대량생산 방식의 기계 산업이 괄목할만하게 성장한 때다. 실제로 그 이전까지 인간은 '하느님으로부터 구원된 고귀한 존재'로 자기 존엄을 이해한 반면 근대 이후의 인간은 자신의 존엄을 '신까지도 이성으로 파악할 수 있는 고귀함'으로 정의했다. 전자가 연역적 자기존재 추론이라면 후자는 자신이 지닌 힘으로부터 출발하는 귀납적 자세다. '존엄'이라는 관념적 가치조차 자기로부터 찾으려는 이러한 태도는 근대문명의 발전이 가져온 세계관의 변화 때문이다. 문명을 일구어낸 인간이 품을만한 일종의 '자신감', 미래에 대한 낙관적이고 '기계적인 진보관'이다.

과르디니에 따르면 애초에 인간은 코모에서 보았던 삶처럼 자연을 포함한 외부세계와 조화를 이루며 살아왔으나 인간의 자아, '힘'이 강해질수록 그 관계가 깨어져나갔다. 문제는 이 관계의 왜곡이 결국 인간의 자기 상실의 비극으로 귀결된다는 것이다.

그렇다고 그의 안타까움이 단순히 파괴되어가는 옛 정취와 전통적 삶에 대한 애도만은 아니다. 그것은 좀 더 섬세하고 내적인 상실이다. 이를테면, 베네치아 운하를 오가던 곤돌라가 빠르게 모터보트로 교체되면서 도시는 물론 그 안에 깃들어 사는 인간의 삶도 전과 다른 형태로 바뀌는 현상과 같다. 빠른 이동수단으로 더 많은 일들을 할 수 있게 되었지만 오랜 시간에 걸쳐 필요에 따라 조금씩 건설되어온 도시와의 '내적 조화'는 파괴되어갔다. 저택들이 지어지던 때의 기본 감각과 매우 다른 감각으로 만들어진 보트의 속도와 굉음을 도시는 미처 소화해낼 수 없는 것이다. 물론 기술은 도시를 옛 모습 그대로 유지하거나 복원할 수 있겠지만, 더 이상 그것은 이전의 도시처럼 인간과 '생생하게' 결속된 것이 아니다.[9] 도시는 박물관의 유물

---

8) 코모, 104쪽.
9) 코모, 103-106쪽 참조.

처럼, 더 이상 사용하지 않게 된 벽난로처럼, 현재의 삶과는 그 어떤 연결고리도 없이 그저 단순한 심미적 대상으로, 아니 불편한 생활을 감수케 하는 애꿎은 무엇으로 전락할 뿐이다. 이 생생한 내적 조화의 상실은 동시에, 도시가 품고 있는 유구한 어제의 시간, 역사와의 단절, 앞서 살핀 대로 인간(Humanitas)이 잘 녹아들어간 도시(Urbanitas)의 상실을 의미한다. 개인적으로 과르디니의 이러한 사유를 따라가다 보면 자연스레 그와 동시대인이었던 에드워드 호퍼(Edward Hopper, 1882-1967)의 작품 속 군상들이 떠오른다. 반듯하게 닦인 길과 도시, 첨단의 도시 생활, 세련된 옷차림, 그러나 하나같이 핏기 없는 얼굴들 말이다. 낯선 여행지, 황무지처럼 어디에도 '깃들지 못한' 사람들처럼 말이다.

5. 자신의 '힘'에 역전된 인간

과르디니는 이 소외의 원인을 인간 내부에서 찾는다. 인간이 일군 문화가 인간을 잠식하는 전도 현상은 다름 아닌 인간이 끊임없이 키워온 자신의 '힘'에서 비롯되었다 주장한다. 이러한 확신은 2차 세계대전 후에 더 강렬해졌고, 이미 코모호숫가에서 초안된 사상의 얼개를 더 확장시켜 나갔다.[10]

그에 따르면 이 외부세계와 인간의 결속은 도구적 인간(Homo Faber)의 원시적 형태부터 기계의 출현 전까지는 어떻게든 유지되었다. 태초의 인간은 매서운 자연에서 생존하기 위하여 도구를 고안했지만 그것은 신체 일부와 결속된 기능으로써 여전히 '인간적'이었다. 도끼나 곡괭이도 인간의 팔과 연계될 때에만 기능을 다할 수 있었던 것처럼 말이다. 그러나 좀 더 정교한 기구의 단계에서는 기능이 신체와 분리되는 현상이 벌어진다. 그러나 아직까지 어쨌든 인간의 힘에 의해 움직이는 '인간적'인 것이

---

10) "근대의 종말, 힘"(Das Ende der Neuzeit, Die Macht)이라는 원제를 한국에서는 "*불완전한 인간과 힘*"으로 바꾸어 출판했다. 로마노 과르디니, 전헌호 역, 불완전한 인간과 힘, 성바오로출판사 1999.(이하 불완전) 본고에서는 한국어 번역본과 이탈리아 번역본을 동시에 참조했다. R. Guardini, *La fine dell'epoca moderna, il potere*, 1999 Brescia. (이하 La fine)

었다. '원의와 가능성'이 일치된, "육체와 정신이 조화된" 상태였다.[11] 아직은 자신의 감각기관으로 파악하고 자신의 느낌으로 체험하는 범위 안의 작업들이라 외부의 세계(자연)의 형태나 본질을 전면적으로 바꾸는 일은 벌어지지 않았다. 한마디로 인간은 자신을 "자연에 맞추어 들어가면서"[12] 자연을 다스렸던 것이다.

문제는 더 높은 능률을 위해 고안된 기계의 출현부터다. 기능은 기구 단계의 것과 비교할 수 없을 정도로 강화되었고 실수하던 인간의 부정확도 교정되었다. 그러나 그것은 이제 더 이상 인간의 직접적 접촉 없이도 혼자 성장하는 일종의 '낯선 힘'이다. 실제로 기계와 산업에서 인간의 역할이라곤 설계와 계산, 조종이다. 과거처럼 신체의 어떤 기관과 연결되어있는 동작이 아니기에 감각적으로 그 기계가 만들어내는 힘의 전체적 크기를 정확히 파악할 수 없게 된다. 문제는 여기서 시작된다. 이러한 '인식영역과 작용영역의 분리'는 다른 말로는 인간의 통제를 벗어난 힘을 의미한다.[13] 이 분리현상은 인간에게 심각한 결핍을 초래하는데 우선은 그 힘에 대한 통제력, 다시 말해 책임감의 결핍이다. 과르디니에 의하면 이 책임성이란 스스로 한 일에 대한 책임을 의미하고 발생한 일에 대한 윤리적 의무감인데 일이 진행되어가는 구체적 모습을 모를 때 어떻게 책임감을 느낄 수 있느냐란 것이다. 그에게 있어 '느낌'과 '감각'은 힘에 대한 제한과 통제력, 나아가 윤리적 책임감을 구성하는 필수적 요소다.

상상해보자. 이를테면 1차 세계대전에 참전했던 병사가 참호전 끝에 총알이 바닥난 후 총검으로 적군을 찌를 때 전해오는 살인에 대한 생생한 기억과, 단추 하나로 그보다 몇 백배의 인명을 한꺼번에 폭탄으로 날려버린 현대전의 병사가 인지하는 살인의 강도가 비교되지 않는다. 적군의 뼈와 내장을 가를 때 손에 쥔 총검을 통해 전해오는 감각이 만든 죄책감과, 기계의 몇 단계의 기능들을 지나 최종적으로 버튼 하나로 정리된 살상에 대한 죄책감의 크기는 분명 다른 것이다. 버튼이라는 인터페이스 뒤의 복잡한 기계들을 우린 알지 못하고 또 관심도 없다. 그 힘이 만들어내는 파괴력과 잔혹함도 알 길이 없다. 순전히 '간접화된 감각'으로만 그것을 상

---

11) 불완전, 83-84쪽.
12) 불완전, 84쪽.
13) 불완전, 107쪽.

상할 뿐, 그것이 구체적으로 어떤 강도의 결과를 초래했는지 정확히 인지할 수 없다. 연민, 죄책감, 공감은 어지간한 노력 없이는 이 "간접화의 세계"[14]에서 가질 수 없는 것이다.

　디지털 무기의 파괴력은 재래식 무기와 비교할 수 없을 정도로 커졌지만 이 힘에 대한 책임감과 윤리성은 현저히 희박할 수밖에 없는 연유가 바로 여기에 있는 것이다. 다른 말로는 힘에 대한 통제력을 잃은 것이고 그 결과는 어처구니없는 자멸인 것이다. 인간은 자신이 키운 힘에 의해 위협을 당하는 처지에 놓인 것이다. 비를 피할 집과 따뜻한 음식은 마련했지만 정작 불안한 삶이다. "무시무시한 황야와 어두움이 다시 눈앞에 다가와 있다."[15]

6. 세계관의 진동

　기계문명과 함께 분출된 이 엄청난 힘은 스스로 점점 더 커질 것이며 언제나 인간의 통제를 벗어날 수 있는 상황에 놓여있는 것이다. 과르디니는 앞으로의 인류가 항상 부딪히게 될 핵심적인 문제가 바로 이 '힘'(권력)이라 단언하며 이제 어떻게 키우

---

14) 지난여름 구의역 스크린도어를 수리하던 중 사고를 당한 비정규직 청년노동자의 죽음에 많은 이들이 애도를 표했다. 그러나 그 애도를 두고 교육부의 한 고위공직자는 "솔직해지자. 어떻게 내 자식처럼 느껴지냐. 위선적이다" 말했고 이로 인해 수많은 사람의 공분을 샀다. 결국 일자리마저 잃었다. 이를 두고 문학평론가 황현산은 공감이나 연민이 부족한 것은 우리가 사물이나 사실을 직접적으로 느끼기에는 실제로 너무 먼 거리 때문이라 지적한다. 과거 사탕수수 농장에서 일하던 노동자들과 멀리 떨어진 곳에 거처를 마련했던 농장주들처럼 그가 만나는 수수밭은 최종적으로 장부위에 기입되는 액수이지 그 숫자 뒤의 실제로 취약한 노동조건에서 몸을 쓰는 노동자들의 수고는 상상하지 않는 한 모른다는 것이다. 실재를 만나기 위해 우리는 여러 단계를 거쳐야하는 고도로 '간접화'된 세계에 산다는 것이다. 청년 수리공의 죽음을 애도하는 사람과 적어도 공감하려 노력하는 사람들과 그것을 위선이라 말하는 무정한 이의 차이는 결국 상상력의 차이라고 말한다. 황현산, "간접화의 세계", 한겨레신문 2016년 7월 14일 참조.

15) 불완전, 107쪽.

는 것이 아니라 '어떻게 사용할지'가 남은 과제라고 지적한다. 그것은 그에게 좀 더 풍요롭게 사느냐 곤궁하게 사느냐의 차원이 아닌, 살아남을지 멸망할지가 걸린 생존에 관련된 절박한 문제였다.[16]

결국 가장 핵심은 이 무한정 커져버린 힘에 대한 제한과 한계설정인 것이다. 그런데 과르디니는 이 힘이 어느 날 갑자기 기계문명과 함께 증폭했다기보다는 더 오랜 기간 진행된 어떤 균열로부터 시작되었다 본다. 통제와 제한은 다른 말로는 책임과 윤리다. 어떤 행위에 대해 인격이나 정신이 느끼는 의무감 같은 것이다. 그것은 일종의 물질과 정신 사이의 균형, "내적인 조화"다. 짐작컨대 과르디니의 이러한 생각은 근대기계문명이 한참 자신감에 차있던 당대에, 그래서 이미 형이상학적 담론들이 쓸모없는 것이 되어버린 시절에, 그 자체로 진부하고, 보수적이며, 시대착오적인 무엇으로 비춰졌을 것이다. 그러나 그는 이 물질과 정신의 불균형이 모든 문제의 시작임을 다년간의 '세계관 강의'를 통해 꾸준하게 설득해나갔다. 이를 위해 그는 동시대인들 대부분이 이미 외면해버린, 아니 잊고자했던 '암흑의' 중세를 다시 끄집어낸다.

그에 의하면 중세까지의 인간은 '한계'를 인정했다. 당시의 사람들에게 자연의 힘은 엄청난 것이었다. 인간의 '문화'란 것은 따라서 처음에는 '안전'을 추구하는 것이었다. 강의 범람에 대비해 제방을 쌓았고 더 견고한 집을 지었다. 자연은 그들에게 매섭지만 그러면서도 또한 너그러웠다. 때마다 자연은 생명을 싹틔웠고 계절은 열매를 사람들에게 허락했다. 사람들은 자연으로부터 안전을 추구하지만 동시에 거기에 기대 살았던 것이다. 자연, 세계와 인간의 관계는 중세까지 이렇게 맺어졌다. 그것은 이미 앞서 언급한데로 과르디니가 목격한 코모의 삶처럼 "자연에 맞추어 들어가며" 살아가는 형태와 같다.

이러한 삶이 가능했던 것은 물론 자연의 힘이 압도적이었기 때문이지만, 당대의 사람들이 가지던 세계에 대한 '이미지' 때문이기도 하다. 고대와 중세의 사람들이 인지할 수 있는 세상은 극히 제한적이었다. 지평선 넘어 언젠가는 끝날 땅과 머리위에는 하늘이 있었다. 땅을 동심원으로 별이 운행하고 계절이 변화되었다. 시작과 끝, 중

16) 불완전, 105-107쪽.

심과 주변이 존재했다. 그들은 이 이미지들을 고스란히 중세 건축물로 형상화했고, 이미지가 제공하는 질서를 '전례주기'라는 (질서에 순응하는 인생의 주기와 계절의 변화를 흉내 낸) 구체적 일상의 리듬으로 구현했다. "현존재 전체의 질서"를 우주적 상징의 표현으로 형상화한 것이다.[17] 어쨌든, 이 이미지 안의 가장 중앙에 자리 잡은 인간은 자연스레 땅의 주인인 동시에 그것의 관리를 책임지는 존재였다. 책임감은 그 대상에 대한 개입도 적절히 조정하게 하였다. 동심원 가장 중앙의 인간, 이 '인본주의'에는 한계와 책임이 새겨져있었다.

하지만 지동설 이후의 세상의 이미지에서 땅은 더 이상 우주의 중심이 아니었고, 인간 역시도 창조의 중심이 아니었다. '코페르니쿠스적 전환', 이 이미지의 왜곡은 인간과 세계 모두에게 심각한 결과를 초래했다. 모든 사물이 땅과 인간을 동심원으로 촘촘하고 질서 있게 연결되어있던 세상이 사라진 후, 인간은 더 이상 고귀하거나 유일한 존재가 아닌 것이다. 이제 그는 다른 피조물과 마찬가지로 "우연적 존재", "어디에 있어도 상관없는 존재"[18]다. 동시에 그것은 자신에게 부여되었던 땅에 대한 책임을 더 이상 무의미하게 만들었다. 나와 연결되어있던 돌보고 책임져야할 세상은 이제 나와는 상관없는 대상, 사물, 객체일 뿐이다. 세상은 인간에게 더 이상 경외해야할 것도, 그렇다고 자신을 지켜줄 것 같은 존재도 아니다. 우연의 산물인 자신과 마찬가지로 세상도 물질적 대상일 뿐이다. 실제로 이러한 세상의 이미지는 근대 기술시대에 자연을 자원을 있는 대로 뽑아낼 수 있는 착취의 대상과, 무엇으로도 바꿀 수 있는 실험과 변형의 대상으로 전락시켰다. 왜냐하면 그것은 그 어떤 '전제'도 없는(신이 부여한 위계적 서열, 존재적 의미), '아무것도 아닌 것'이었기 때문이다.

7. 갈릴레오 이후

갈릴레오 재판은 가톨릭교회가 2000년 희년을 기해 인류에게 공식적으로 사과한

---

17) La fine, 46-49쪽.
18) 불완전, 62쪽.

교회 역사의 어두움이다. 누군가 이 재판을 두둔한다면 우리는 분명 맹목적 믿음을 가진 사람이라 비판할 것이다. 그런데 세계관의 변화에 몰두했던 과르디니는 이 재판의 다른 측면을 바라보자 제안한다. 그는 재판의 부정적 측면을 간과하지 않되, 왜 교회가 갈릴레오에 대해 그토록 완고한 태도로 일관했는지 그 이유를 물어야한다고 역설한다. 실제로 단지 교리의 논리적 결함을 우려한 때문이라 보기엔 과도하게 폭력적이고 신경질적이었다. 그렇다면 왜?

그에 따르면 그것은 세계관의 붕괴 이후 인간에게 찾아올 끝을 알 수 없는 허무와 상실감을 교회가 무의식적으로 우려했기 때문이다. 아니, 인류의 무의식이 교회를 통해 표출되었기 때문이라 보는 것이 낫겠다. 앞서 본대로 중세의 세계관 속 인간은 질서와 서열로 구성된 세계 안에 '나름의 위치'를 차지하고 있었다. 그것도 땅과 창조의 동심원의 한 가운데에 말이다. 그러나 세계관의 변화 이후 근대 이후의 인간은 질서와 가치의 위계가 사라진 세계에서 어디에 있든 상관없는 우연적 존재로 전락했다. 중세의 세계관에서 인간 실존이 가지고 있던 '객관적 발판', 존재의 의미를 보장받을 '실존적 위치'를 잃어버린 것이다.

과르디니가 보기에 근대의 세계관은 역설적으로 질서를 부여하는 신을 지워버린 후, 또는 거슬러, 인간을 독립적이고 자유로운 존재로 격상시킨 듯하지만, 실제로는 짐승과 식물, 여타 피조물과 구별되지 않은 자연의 한 부분으로 전락시킨 것이다.[19] 남는 것은 엄청난 무의미와 상실감, 그리고 공포심이다. 그러나 이 공포심은 중세인이 느끼던 것과는 다르다.[20] 근대인이 느끼던 공포심은 나를 보호해줄 존재(하느님)가 실제로 존재하지 않는다는 자의식 때문이라기보다는, "세상이 인간에게 자신의 존재 의미를 확인 할 수 있는 장을 보장하지 않는다"[21]는 사실 때문이었다. 지난 봄 인공지

---

19) 불완전, 62쪽.
20) 인지할 수 있는 세상의 폭이 극히 제한적이었던 중세의 사람에게 세상은 어디까지나 덧없고 유한한 것이었다. 계절의 변화처럼 피고 지는 자연의 덧없음, 엄청난 자연재해 앞에 속수무책인 인간 자신을 깨닫고 나면 더욱 그랬을 것이다. 영원을 지향하는 욕구에 비해 이 세상의 유한함은 그에게 자신도 유한함으로 밀려날 수 있다는 공포심을 불러왔다. 그렇기 때문에 그리스도교의 계시(Rivelatio)라는 '전제', 창조된 우주의 질서는 중세인에게 반드시 필요했던 것이다. La fine, 45-52쪽.
21) 불완전, 50쪽.

능과 인간기사의 대국이 불러온 저 알 수 없는 불안감은 어쩌면 이것과 크게 다르지 않을 것이다.

8. 구조는 구조로만 남지 않는다.

두어 해 전, 강남의 한 아파트에서 경비원이 자살했다. 유서에는 아파트 주민들의 멸시와 인격모독을 참을 수 없었다고 적혀있었다. 일부 입주자는 아파트 값이 떨어질 걸 우려해 조용히 경비 용역업체를 바꾸자고 제안했다. 이에 도의적 책임과 인간적 죄책감을 가져야하는 것 아니냐는 다른 입주자들의 반발이 있었고 논쟁이 오갔다. 다음날, 경비실 게시판에는 입주자 몇몇의 명의로 된 사과문이 붙었다. 부끄럽고 죄송하다는 내용이었다. 질문해보자. 가해자는 누구이고 피해자는 누구인가? 단순해보이지만 단순하지 않다. 아파트 단지 내에는 분명 양심 있고 누구에게도 피해를 주지 않고 사는 선량한 이가 있었을 것이다. 단 한 번도 생전의 망자에게 모욕을 주거나, 그렇다고 멸시하는 마음을 품거나, 심지어 마주친 적도 없다. 그는 무죄한가? 제 아무리 무죄하고 양심 있는 자라도 입주자라는 사실하나로 마음이 편치 않다. 부고가 들린 날 그는 밤잠을 설쳤을 것이다. 이웃한 단지 주민들이 혐오스러웠을 것이다. 이 선량한자는 입주민이라는 사실로 가해자인 동시에, 알 수 없는 죄책감을 가져야하는 피해자인 것이다. 가장 개인적이고 내밀한 공간인 인간의 거처는 그렇게 하나도 내밀하지 않은 것이다. 안전하고 침해받고 싶지 않고 살고 싶은, 인간이면 누구나 가질 이 무구한 욕망이 더 이상 무죄할 수 없는 것이다. 그의 또 다른 이름, '입주자'로 선량한 이는 저 죽음으로부터 자유롭지 않다. 자신의 무죄함과 상관없이, 그것을 항변할 기회도 얻지 못한 채, 그는 다수의 일부일 뿐이다.

어떤 평준화된 삶의 방식에 휩쓸려 들어간 개인, 범주화되고 계량화된 개인은 비단 우리시대의 현상만이 아니다. 과르디니는 이미 반세기 이전, 앞서 살핀 인간의 실존적 불안만이 아니라 근대 이후 직면하게 될 '대중', '시스템' 안에 휩쓸려 들어간 개인을 주목했다.

앞서 살핀 대로 문화의 발전 단계에 기계는 그 이전의 인간의 신체 일부와 연결된

'인간적' 형태의 도구들과 달리, 힘의 정도를 인간이 정확히 측정해 낼 수 없는 과정을 통해 스스로 성장하는 것을 특징으로 한다.(구체적인 예로 핵이 그렇다. 그 힘의 한계를 우리는 알지 못하며 그것의 처리방법 조차 모른다.) 엄청난 힘들이 생겨났지만 그것이 얼마나 큰지, 또 어떻게 생겨났는지 알지 못한다. 과르디니의 표현을 빌리자면 그것은 과거의 "자연에 맞추어 들어가는" 제한된 힘의 형태, 또는 원의와 가능성이 일치된 방식이 아니라, 인간의 손을 떠난 어떤 '비인간적' 힘이다.

스스로 성장한 힘은 이전의 문화와는 다른 나름의 '구조'를 구축한다. 폭발적으로 증가한 에너지를 소비해야하기 때문이다. 생산을 필요로 하는 삶의 방식을 만들어내고 사람들은 대체로 그런 삶의 방식이 옳은 것이고 현명한 삶이라 느끼게 된다.[22] 사람들은 이렇게 소비의 자유를 누리고 있다고 생각하고 스스로 자유로운 존재라 믿지만 실제로는 이미 설정된 무형의 시스템에 길들여질 뿐이다. 그리고 기술과 비용이 드는 이러한 보편화된 삶에서 벗어나려는 노력은 모두 '반문화적'인 것이 되어버린다. 이 근대 이후의 인간은 부지불식간 또는, '반문화적'이라는 눈총을 감내할 투철한 용기가 없다면, '대중'의 일부로, 대중이 만들어낸 프로그램에 순종한다. 그러나 그것은 몰락이다. "인간다운 것을 정하는 형태가 풍성히 발전하는 개인이 아니라 같은 형태를 지닌 다수라면, 무엇이 회복할 수 없이 몰락하는 것인가는 명백한 사실이다."[23]

조금 더 구체적인 차원에서 이야기해보자. 과르디니는 이 과정을 주도하는 주체가 "무명의 존재인 국가"[24]라는 사실에 비극이 존재한다고 확언한다.[25] 실제로 4대강

---

22) 불완전, 76쪽.

23) 불완전, 78쪽.

24) 불완전, 73쪽.

25) 생각해보면 그는 전체주의의 시대를 오롯이 관통한 인물이다. 태생적 고향 이탈리아의 파시즘과 고국 독일의 나치즘을 모두 겪은 이다. 나치에 의해 강단에서 쫓겨나기도 했다. 아직 이런 권력 형태를 명명하는 '전체주의'라는 용어가 생겨나기 이전이기도하지만 (한나 아렌트가 "전체주의의 기원"이란 저작에서 동일 개념으로는 처음 사용했다) 그는 이런 권력의 형태를 이미 개념화하고 있다. 안타깝게도 그가 서술하는 이러한 권력이 생산하는 현상들이 오늘날에도 비근하게 일어나는 것을 보면 전체주의는 근대국가에 내재되어있는 어떤 속성일 수 있겠다. 무한정 증폭하는 인간의 힘을 다루는 것만

사업과 같은 국가 주도형 토건사업들은 거의 대부분 경기부양이나 인간복지를 표방하지만 실상은 대게 과도하게 축적된 에너지를 소비하기 위한 프로그램이다. 소비의 증가로 자연스럽게 이루어진 생산이 아니기에 이런 개발은 제한적 형태가 아닌 환경의 변형, 파괴의 수준이 대부분이다. 과르디니에 의하면 그것은 더 이상 발전과 개발이 아니라 "지배"에 다름 아니고, 그 지배는 사물에만 그치지 않고 '시민'이라는 이름의 개인들에게까지 확장된다.[26] 통계나 수치로 개인이 환산되는 것에 익숙한 문화, 창조적 인격이나 독립적 주체 따위보다는 '기능'에 따라 인간을 가치화하는 문화, 그것은 분명 '비인간적'이고 '비문화적'이다. (세월호 희생자 304명이 보통의 숫자일 수 없는 이유다. 그런 의미에서 사건의 진실은 유가족들만의 것이 아니라 우리들의 것이기도 하다. 건져 올리려는 것은 지나간 사건이 아니라 앞으로 '인간'으로 살아갈 이유인 것이다.) 여기서 인간은 사물과 다를 바 없다. 근대의 가장 탁월한 덕목이 '개성'이라는 괴테의 단언이 무색할 지경이다.

이 구조에 함몰된 '근대적 인간'은 어떤 형태일까. 2차 세계대전 후 아르헨티나에서 은거하다 체포된 인종학살의 실무행정을 감독했던 독일 장교 아이히만의 재판을 지켜보며 아렌트는(Hannah Arendt, 1906-1975) 이 '구조'에 질식해버린 개인을 목격한다. 끔찍한 반인류적 범죄에 가담한 인간이라고는 보기 힘든 아이히만의 선량함과 순수함 안에서(유대인에 대한 증오가 아니라 선량한 시민, 명령에 복종하는 성실한 군인, 책임을 완수하는 유능한 관료로서) 근대 이후의 문화(그것이 체제든 국가든 집단이든) 안에 내재된 악을 발견한다. 그 유명한 "악의 평범성"이다. 역설적이게도 근대 문화의 상징처럼, 세련되고 현대적이며 진보적인 무엇처럼 우리가 받아들인 '관료화,' '전문화', '세분화', '분업화'는 언제든 저 선량한 눈빛의 아이히만을 내재하고 있는 것이다.[27] 시스

큼 모든 근대국가는 언제든 개인을 억압하는 반인간적 형태로 돌변할 수 있는 다루기 힘든 힘인 것이다.

26) 불완전, 76-77쪽.

27) 과르디니 이외에 같은 맥락의 사유를 한 이들은 많다. 예를 들자면, "병원이 병을 만든다", "학교 없는 사회"와 같은 명언을 남긴 이반 일리히(Ivan Illich, 1926-2002)의 경우 국가든 대중이든 사회든, 기성의 문화는 개인을 구조에 맞게 학습시킨다고 비판한다. 그가 보기에 단순한 '사회화'는 존재하지 않는다. 사회는 넘치는 생산물을 소비하기 위하여 개인에게 결핍되었다는 느낌을 갖도록 끊임없이 자극한다. 이 프로파간다

템의 일부로 녹아들어간 아이히만처럼, 구조는 절대로 구조로만 남지 않는다. 그것은 모든 것을 자기화한다.

9. 맺음말
육체와 정신 사이

과르디니는 지금까지 살핀 저 "다가오는 문화에 대한 적합한 표현"을 아직 찾지 못했다고 고백한다. 다만 "이 두 번째 종류의 야생 안에서 다시 원초적인 심연 모두가 열리게 되었다. 모든 생명체들을 질식 시킬 정도로 무질서한 것들이 자라 나오고 있다. 무시무시한 황야와 어두움이 다시 눈앞에 다가왔다. 인간은 다시 무질서 앞에 서 있게 된 것"[28]이라 확신할 뿐이다.

다가올 문화가 무엇으로 불리든 그가 단언 할 수 있는 확실한 한 가지는 "인간은

에 교육이 가장 큰 역할을 수행한다. 개인은 공교육을 통해 그렇게 시민이 아닌 소비자로 전락했다 주장한다. "현대성은 홀로코스트를 가능하게 한 필요조건이다"란 명제로 현대성의 폭력성을 고발한 지그문트 바우만(Zigmunt Bauman, 1925~)도 마찬가지다. 그에 따르면 인종학살은 결코 히틀러와 같은 특정인의 광기나 증오만으로 모두 설명될 수 없다. 그는 "독일 본토에서 유대인을 치워버려라"라는 명령을 실행하기위해서 동원된 시스템에 주목한다. 명령의 완수를 위해 가장 효과적이고 실용적이며 합리적인, 방법들이 고안되었고 거기에 전문화와 관료화라는 현대의 조직 운용원리가 동원되었다. 관료화되고 분업화된 체제에서는 각 단위마다 하달된 명령을 수행할 뿐, 현장에서 일어나는 잔혹함에 대한 죄책감에서 자유로울 수 있었다는 것이다. 가장 진보된 현대성의 쾌거들이 이 잔혹함을 가능하게 했다는 것이다. 시스템의 기능 일부로 녹아들어간 개인은 더 이상 인간이 아닌 것이다. 여전히 왕성한 작업을 이어가고 있는 이탈리아 정치철학자 조로지오 아감벤(Giorgio Agamben, 1942~) 역시도 수용소(구조)의 사람들을 주목한다. 그에게 억압자와 피억압자라는 구도는 매우 혼미하다. 그가 보기엔 학살에 부역한 억압자들은 이미 가스실의 수용자들 이전에 죽은 자들이다. 옳고 그름의 판단 자체를 거세한, 이미 '인간'으로서 "질식한 자"들이다.

28) 불완전, 107-108쪽.

엄청난 자신의 힘에 대하여 준비되어있지 않다"[29]라는 사실이다. 통제력은 책임감을 의미하는데 그것은 일종의 감정, 정신적 힘이다. 이 물질과 정신 사이의 간극이 태초의 무질서(Chaos)의 심연이고 불안의 진원지인 것이다.

이르면 2017년 상용화를 목표로 개발 중인 구글사의 무인자동차가 최근 잇따른 사고를 일으키면서 논란이 불거졌다. 핵심은 아무리 모든 상황을 예측한다 해도 대게 인간의 직관과 윤리적 감각으로 이루어지는 다양한 상황에서의 판단을 기계가 대신할 수 있냐는 것이다. 생각해보면 인간의 모든 판단은 성장 과정의 경험과 사회적 교육, 나아가 설명할 수 없는 개인적 특질을 전제한, 애초에 '완전할 수 없는 것'이다. '정확함'과 '엄밀함'을 '완전함'으로 여기는 근대의 사고방식에서 기계가 완전할 수 없다는 사실 그 자체도 심각한 모순이겠지만, 윤리적 딜레마를 직면할 때 작동하게 될 미리 입력된 기계의 도덕률을 과연 누가 정하냐는 것 역시 난제다. 슈퍼컴퓨터의 바둑 대국과 구글사의 무인자동차 사고로 시작된 논란들은 어쩌면 약진하는 기술과 물질의 발전 속도와 이를 제어하고 통제할 인간 정신 사이에 놓인 괴리에 대한 무의식적이고 직감적인 불안의 표출이라 하겠다. 인간은 아직 준비되지 않은 것이다. 따라서 "살아남느냐 아니면 멸망하느냐"는 절체절명의 이 광야에서 피어나는 모든 질문은 결국 '인문학적'일 수밖에 없는 것이다. 사실 과르디니가 장황하게 쏟아놓는 근대에 대한 비판의 결어 역시 이것이다. 물질문명과 정신문명 사이의 괴리, 육체와 정신 사이의 분리가 가져올 엄청난 불행 말이다.

사실 이러한 분절 현상은 더 이상 물질 영역에만 국한되지 않는다. 최근 다시 일어나기 시작한 인문학 열풍은 이 분리가 가져온 궁극적 갈증의 무의식적 표출이겠지만, 그 소비의 방식은 여전히 '근대적'이다. 그림 몇 장과 서평 몇 개를 스타강사의 입담에 기대 허겁지겁 먹어치우는, 오래 숙성되어 자라는 정신이 아닌, 백화점 상품 소비하듯 정보를 흡수하는 또 하나의 소비시장일 뿐이다. 이런 인문학이 육체와 정신을 잇는 질긴 정신의 힘줄일리는 만무하다. 화풍은 알겠지만 화면 넘어 흐르는 서사는 알길 없다. 책과 음악에 대한 교양 있는 논평 몇 마디는 가능하겠지만, 오늘에 왜 그것이 여전히 필요한지를 아는 '참다운' 품위는 없다. 정신마저도 상품으로 포장되는

29) 블완전, 108쪽.

시장이라는 구조에 완전히 포섭된 꼴이다. 자유롭고자했지만 하나도 자유롭지 않은 것이다. 아렌트가 지목한 독일장교 아이히만의 죄는 다름 아닌 "생각하지 않은 죄"다. 생각하지 않은 그가 벌려놓은 판은 선량한 눈빛과 정갈하고 소박하던 그의 사무실 책상과는 대조적으로 엄청난 지옥도(地獄圖)도였다. 자의든 고의든 정신이 거세된 행위, 생각의 힘줄이 끊어진 문화는 그 자체로 이미 참사다.

다른 표현을 제처 두고 생각의 "힘줄"이라 했다. 이유는 과르디니가 보는 중세적 세계관의 붕괴 이후 찾아온 근대의 근본적 문제가 바로 이 분절 현상이기 때문이다. 몸을 지탱하고 기관들 사이의 유기적 관계를 이어줄 근육이 잘게 잘려나간 것과 같다. 과르디니는 근대문화의 경향이라 할 수 있는 관료화와 전문화를 명시적으로 비판하진 않지만 이런 시대정신이 어떤 비극을 불러올지 정확히 예견하고 있다. 이러한 사조들의 결과로 그는 하나의 "순전히 학문적인 학문, 경제학적인 경제, 정치적인 정치", "하나의 순전히 종교적인 종교심"이 형성되고, 결국 "자연은 더 실험적이고 이성적으로 탐구되고, 정치는 단순히 권력 투쟁으로 이해되며, 경제는 유용성과 복지 증진의 명분으로 움직이며, 기술은 어떤 목적에도 사용될 수 있는 하나의 커다란 도구로 이해되며, 예술은 미적 관점들에 따라서만 추구되며, 교육은 이러한 국가와 문화를 지탱해 나갈 수 있는 사람을 길러내는" 곳이 되어, 종국의 세상은 "공장의 일터나 전쟁터", 둘 중 하나로 전락할 뿐이라 비판한다.[30] 여기서의 "순전한"은 따라서 전혀 순전하지 않은 것이다. 이 형용사의 올바른 현대적 번안은 아마도 '고립된'일 것이다.

그렇다면 과거의 세계에서 이 생각의 힘줄, 정신의 근육 노릇을 하던 교회(계시 종교)는 오늘날에 이르러서는 어떻게 되었을까. 앞서 언급한 '순전한' 정치와 경제의 운명과 다르지 않다. 그것은 구체적인 삶과는 점점 더 관계도 영향도 없는, 전례나 기도, '마음의 평안' 따위로 간간히 존재감을 확인할 뿐인 일종의 "순수한 종교적 가르침과 실천"으로 축소되었다. 따지고 보면 불행하게도 오롯이 소비되기만 하는 것은 근래의 대중 인문학만이 아닌 것이다.

---

30) 불완전, 113, 104쪽. 이러한 과정을 통해 과르디니는 최종적으로 출현하는 것을 비인간적 인간(uomo-non umano), 비자연적 자연(natura-non naturale), 비문화적 문화(cultura-non culturale)이라 부른다. La fine, 58쪽 참조.

이 난제들을 해결해갈 대안은 무엇인가? 이 광야에서 내일을 위해 다시 찾아야할 것은 무엇인가? 과르디니의 결말은 그의 깊은 사유에 비하자면 무척이나 시시하다. 시류를 거슬러 올라갈 "관조적, 관상적 삶(vita contemplativa)의 회복", 본질과 비본질을 식별할 "자기 수련", "진지함과 용기, 자유"로 이루어진 덕(virtú), 하나같이 추상적이다. 순진한 낭만주의나 피상적 금욕주의로 비난받아도 억울하지 않을 말들이다. 과르디니의 생각을 현대문명과 앞으로 다가올 미래에 대한 자신의 첫 회칙의 골자로 고스란히 빌려간 프란치스코 교황[31] 역시 기후변화와 국제질서, 빈곤퇴치에 대한 실제적 차원의 주제를 제외하고는 그와 크게 다르지 않은 대안만 제시할 뿐이다.[32] 과르

31) La fine, 89-91쪽. 교황의 최근 문헌들은(사도좌 권고 "복음의 기쁨". 회칙 "찬미받으소서") 교황 자신이 과르디니의 깊은 영향을 받았음을 여실히 드러낸다. 복음의 기쁨에 소개된 공동선과 사회평화를 위한 4가지 원칙(시간은 공간보다 중요하다, 일치가 갈등보다 낫다, 실재가 관념보다 더 중요하다, 전체는 부분보다 크다) 역시 과르디니의 생각에서 길어 올린 것이다. 최근 한 이탈리아의 일간지(Espresso)는 교황이 이미 1974년 아르헨티나 예수회 관구장 시절 이미 공식문헌에 이 원칙들을 사용해왔다고 보도했다. 실제로 교황은 1986년 독일 프랑크푸르트(Sankt Georgen 대학 신철학과)에서 과르디니에 대한 자신의 박사 학위논문의 초안 작업을 시작했지만 92년 주교 서품으로 학위논문은 완성되지 못했다. 교황에 대한 과르디니의 영향력은 상당했던 것으로 보인다. 여러 증언에 의하면 신부 베르골리오의 손에서 항상 떠나지 않았던 책은 과르디니의 "주님"이었다고 한다. 이른바 생태회칙이라고 불리는 프란치스코 교황의 "찬미 받으소서"에서는 과르디니의 궤적이 더욱 뚜렷하다. 용어와 논리 전개, 핵심개념 모두가 과르디니의 것이다. 아래는 관련 기사들이다.
https://cronicasdepapafrancisco.wordpress.com/2016/06/02/jorge-bergoglio-e-romano-guardini/http://querculanus.blogspot.kr/2016/05/i-postulati-di-papa-francesco.html http://magister.blogautore.espresso.repubblica.it/2013/10/21/guardini-un-maestro-che-bergoglio-non-ha-mai-avuto/

32) 과르디니와 교황의 제안을 대조해보자. 과르디니가 제시하는 3가지 덕(virtú)은 진지함, 용기, 자유이다.(La fine, 90-91) 그리고 이를 종합할 새로운 인간학에 기초한 교육이다. 우선 과르디니는 닥쳐오는 혼돈 앞에 진리를 따르는 진지함을 말한다. 곧 표피적 현상 밑에 깔려있는 이 시스템의 작동 원리와 복잡한 관계를 치밀하게 살피고 총체적으로 파악해야하는 자세이다. 교황의 회칙은 같은 선상에서, 기술의 산물이 결코 가치중립적이지 않다는 사실을 명시하고 있다. 다시 말해 기술의 산물은 이 패러다임 아래서 결국 생활양식에 영향을 미치고, 특정 권력 집단의 이해관계에 따라 사회적 기회들을 통제하기 때문이다.(찬미받으소서 107항) 따라서 위기의 해결책으로 내

디니의 대안들은 황무지의 허무와 엄청난 적들을 대적하기엔 보잘 것 없다.

　그럼에도, 잠시 그가 물질문명의 속도를 미처 쫓아가지 못하는 정신문명 사이의 불화, 그로인한 세기적 차원의 문제를 설명하며 지속적으로 소환한 단어들의 면면을 보자. 세계관, 정신, 의지, 생각, 계시(rivelatio), 전제(前提), 인본주의, 모두 인간에게만 해당하는 비물질적 개념이다. 결국 '인간'이다. 다만 근대 이전의 인간, '참된 인본주의'(교황은 이를 '그리스도교 인간학', 또는 '올바른 인간중심주의'로 옮겨 사용한다)의 회복이다. 어찌 보면 과르디니의 사유는 종교적이고, 그래서 '보수적'이다. 이미 형이상학적

놓은 것은 결국 현대의 기술과 경제가 모든 것을 해결 할 수 있다고 믿게 하는 잘못된 선동뿐이다.(109항) 나아가, 이러한 시스템은 전체적인 시각 자체를 가지지 못하게 한다. 이 패러다임의 속성인 '세분화'와 '전문화'는 우리로 하여금 전체적인 사물들과의 관계, 넓은 시각을 상실하게 함으로써 문제 해결을 더 불가능하게 한다.(110항) 따라서 회칙은 환경보호운동 역시 이러한 시스템의 이해 없이는 결국 이러한 시스템이 구축해 놓은 "세계화의 논리에 빠져 버린다"고 지적하고 있다. 결론적으로 회칙은 과르디니의 이 전체적 시각을 요청하는 진지함을 "그릇된 변증법을 극복할 새로운 종합"(121항)으로 풀어쓰고 있다. 두 번째로 과르디니가 제안한 것은 용기이다. 이 용기는 파토스(pathos) 없는 "영적"이고 "인격적"인 용기다. 왜냐하면 직면해야하는 위기는 세계적 위협이고, 결국 인간 스스로를 반대(부정)해야 하는 싸움이기 때문이다. 때문에 보다 "순수"하고 "강해야"한다. '인간', 결국 다수를 거슬러야하는, 온갖 슬로건과 프로파간다, 여론에 맞서야 하는 일이기 때문이라는 것이다. 다소 추상적인 표현일 수 있겠지만 회칙은 이를 "참된 인본주의", "용감한 문화적 혁명"으로 바꾸어 풀어놓았다. "새로운 종합을 요청하는 참된 인본주의는 마치 닫힌 문의 아래 틈 사이로 스며들어오는 안개처럼 알게 모르게 기술 문화 한가운데 자리 잡는 듯합니다. 모든 어려움에도 참된 인본주의가 올곧은 이들의 굳센 저항처럼 싹트는 영원한 약속이 될 수 있겠습니까?"(112항) 마지막으로는 자유이다. 이 자유는 모든 형태의 폭력적 고리를 끊고 나오는 내적 자유이다. 이를테면 이러한 시스템을 교묘히 강화하고 강요하는 일종의 프로파간다, 언론, 라디오, 영화 등으로부터의 자유다. 이러한 자유를 획득하는 길로 과르디니가 제안하는 것은 "금욕적 방향으로 설정된 내적이고 외적인 참된 교육"이다. 다소 순진한 생각이자 자칫 이 모든 노력들을 개인적이고 내면적이며 비사회적인 것으로 만들어 버릴 것 같은 우려가 드는 표현이다. 하지만 이를 부연하는 과르디니의 폭넓은 생각을 들여다보면 이야기는 달라진다. "인간은 자신을 넘어서고, 스스로를 포기하면서 자신의 주인이 되는 법을 배워야하고, 그럴 때만이 비로소 자신이 가진 힘의 주인이 될 수 있습니다."(La fine, 90) 그에게 이를 가장 완벽하게 수행한 모범은 다름 아닌 예수그리스도다. 회칙이 강조하는 예수와의 인격적 만남의 뿌리다.(96-98항)

담론이 불가능한 오늘에서는 더욱 그렇다. 그러나 그것은 몸을 한껏 움츠린 보수가 아닌, 기능으로 전락하고 시스템의 일부로 녹아들어간 일그러질 대로 일그러진 인간에게, 남은 것이라고는 공장과 전쟁터 밖에 없는 그에게 보내는 가장 '래디컬'한 답변이다. 다시 돌아가야만 다시 태어날 수 있다. 답은 참된 인간의 회복이다.

광야란 주제를 받고 단박에 떠오른 사람이 과르디니였다. 광야는 원죄를 지은 첫 인간들이 동산에서 쫓겨나 처음 대면한 시공(時空)이다. 자신이 지어지기 이전 혼돈의 무질서를 다시 만나야하는 곳이다. 이 첫 인간의 이야기를 담은 창세기로 시작된 성경은 첫 아담부터 두 번째 아담까지 인류가 가져야할 호흡의 길이처럼 두텁다. 아주 긴 호흡이다. 모래알 같은 이스라엘이 민족을 이루고(탈출기), 하느님에 맞서고(탈출기 17장, 민수기 14장, 탈출기 19장) 예언자가 소명을 받고(열왕기 상 17장), 소진한 몸을 추스르고(열왕기 상 19장),[33] 마침내 예수의 광야(루가 4장)를 거쳐야 도달하는 긴 여정이다. 과르디니는 이 여정을 성서와는 전혀 다른 말로 풀어나가지만 우리가 직면한 '오늘'이 또 한 번의 광야이자 태초의 어둠의 시공임을 펼쳐 보인다. 위험과 기회, 그런데 그것은 애초에 한 단어(위기 危機)였다. 위기와 재생은 같은 시공에서 이루어지는 법이다.

---

33) "엘리야가 하룻길을 더 걸어 광야로 나갔다. 그는 싸리나무 아래로 들어가 앉아서, 죽기를 간청하며 이렇게 말하였다. 주님, 이것으로 충분하니 저의 목숨을 거두어 주십시오. 저는 제 조상들보다 나을 것이 없습니다. 그러고 나서 엘리야는 싸리나무 아래에 누워 잠이 들었다. 그때에 천사가 나타나 그를 흔들면서, 일어나 먹어라. 하고 말하였다. 엘리야가 깨어보니 뜨겁게 달군 돌에다 구운 빵과 물 한 병이 머리맡에 놓여있었다. 그는 먹고 마신 뒤에 다시 누웠다. 주님의 천사가 다시 그를 흔들면서, 일어나 먹어라. 갈 길이 멀다. 하고 말하였다."(열왕기 1 19, 4-7)

'에레미아(ερημία)'의 오르페우스.
서기전 5세기 아티카 도기화를 중심으로.

1. 들어가는 말   3. 3. 죽음
2. 트라케   3. 4. 신탁
3. 도기화 속 오르페우스   3. 5. 지하세계
　 3. 1. 아르고원정대   4. 나가는 말
　 3. 2. 음악

1. 들어가는 말

오르페우스는 그리스의 신화에서 매우 특별한 인물이다. 뛰어난 노래와 연주로 인간은 물론 동물과 식물을 감동시키고 강과 바다도 진정시켰던 이 영웅은 신을 포함한 이승과 저승의 존재까지도 음악으로 매료시켰다. 그리고 그의 신화는 고대부터 종교, 미술, 문학의 소재로 사용되면서 서구 예술에 중요한 영감의 원천이 되었다. 오르페우스의 신화를 살펴보면, 그 탄생부터 죽음에 이르기까지 '결핍'과 '소외', '상실' 등의 이미지가 곳곳에 드러나 있다. 신화학자 W. 프라이에르트는 "오르페우스의 신화는 결핍과 부재의 이야기"라고 규정하기도 했다.[1] 사랑하는 아내 에우리디케

---

1) Wiliam K. Freiert, "Orpheus: A Fugue on the Polis," in Dora Carlisky Pozzi and John Moore Wickersham(eds.), *Myth and the Polis*,(Ithaca: Cornell University Press, 1991), 32.

(Eurydike)를 잃고 트라케(Thrace)의 여인들에 의해서 죽임을 당한 후에 신체가 잘려지는 그의 여정은 삶과 죽음에 까지 이어지는 결핍과 부재의 상태를 상징하고 있다.

고대 그리스어에서 '에레미아(eremia)'는 성서에서는 '광야'로 해석되는 단어이다. 이 단어의 형용사 형태인 '에레모스(eremos)'는 이미 호메로스의 오디세이아에서도 사용되었고 후대의 문헌에서는 '외딴', '결핍된'의 의미로 사용된다. 명사형인 에레미아는 사전적으로 '외딴 곳'이나 '야생의 장소', '황무지'와 같은 공간을 지칭하기도 하지만, '결핍'이나 '부재'의 상태를 의미하기도 한다.[2] 후자의 의미에서 본다면, 이 단어는 오르페우스의 신화에 드러난 그의 여정을 한 마디로 표현할 수 있는 가장 적절한 단어로 보인다.

이미 잘 알려진 것처럼, 에레미아에 대한 보다 큰 상징적인 의미는 성서에서 비롯된다. 그리스도교에서 에레미아가 일상의 장소가 아닌 미지의 장소이고, 고난을 겪는 장소이자 신과 대면하는 곳이라는 의미에서 본다면, 그리스 신화의 영웅이 난관을 겪고 역경을 맞닥뜨리는 모든 장소는 그리스도교적 의미의 에레미아와 일맥상통한고 볼 수 있을 것이다. 즉, 그리스 신화에서 영웅이 자신의 능력을 검증받고 영웅으로서의 정체성을 찾아 고난을 극복하고 진정한 영웅으로 탄생하는 모든 공간은 성서적 의미의 '에레미아'로 볼 수 있다. 영웅의 고행과 고난 극복의 공간으로써의 '에레미아'는 영웅의 정체성이 확인되고 영웅으로 재탄생하는 주요한 무대가 된다는 점에서 오르페우스 신화의 무대가 되는 그의 '에레미아'는 그의 영웅성과 긴밀한 관련이 있다고 할 수 있다.

오르페우스는 일찍이 그리스도교 미술에서 그리스도와의 연관성으로 초기 그리스도교 미술사에서 많이 다루어졌다. 현존하는 오르페우스의 도상은 그리스도교의 성립이후에 제작된 것이 많아서 그에 관한 연구도 로마시대 이후의 작품을 중심으로 한다. 반면에 소수만 남아 있는 서기전에 제작된 오르페우스의 초기 도상에 관해

---

2) Liddell & Scott, *A Greek-English Lexicon*, s.v. "$\varepsilon\rho\eta\mu\acute{\iota}\alpha$". 이 단어의 형용사형인 "$\varepsilon\rho\acute{\eta}\mu$ $o\varsigma$"는 더 많이 사용되었는데, '(공간적으로) 소외된', '결핍한', '비어 있는'의 의미를 갖는다. 헤로도토스(Herodotus)는 사람이나 동물이 살지 않는 외떨어진 외국의 공간을 묘사할 때 "$\varepsilon\rho\acute{\eta}\mu o\varsigma$"를 자주 사용하는데, 황무지나 사막을 묘사할 때 사용한 경우는 Herodotus, 2.32.1-6에서 볼 수 있다.

서는 연구가 활발하지 않다. 오르페우스의 초기의 도상을 연구하는 것은 그리스도교 미술의 연구에 있어서도 의미가 있는 작업일 뿐만 아니라, 서구의 문학과 예술에서 중요한 영감의 원천이었던 오르페우스의 원형적 이미지를 이해하는 데에 필요한 작업으로 여겨진다. 이에 본 연구는 아티카의 도기화에서 오르페우스의 도상을 중심으로 그가 영웅으로써 겪는 다양한 모험의 여정을 살펴봄으로써 그리스도교 미술이 성립되기 이전에 고대 그리스의 미술에서 오르페우스의 영웅성이 시각적으로 구현된 방식을 그 배경이 되는 트라케와 연관해 고찰하고자 한다. 본 연구의 대상이 되는 오르페우스의 도상은 『고전 신화 도상학 사전 Lexicon Iconographicum Mythologiae Classicae』과 그 증보판(Supplementum)에 소개된 사례 가운데 아티카 양식의 도기화를 중심으로 한정한다.[3]

2. 트라케

고대 그리스 문헌에서 언급되는 '에레미아'는 도시(polis)화된 공간이나 편의성이 보장된 장소와는 동떨어진 의미로 사용된다. 이는 에레미아가 자연 상태의 야생이나 그리스문화의 영향이 드리워지지 않은 주변부(periphery)를 의미한다고 볼 수 있다. 그리스인들의 관념에서 이러한 주변부는 그리스 세계를 제외한 모든 지역에 해당될 수 있었다. 그리스와 접경한 트라케는 그리스의 신화와 역사에서 주변부의 공간으로 상정되었던 대표적인 곳이다. 그리스의 북동쪽에 접한 트라케는 일찍부터 그리스인들의 주요한 활동지였음에도 불구하고, 대다수의 그리스인들에게 기이한 일들이 벌어지는 낯선 곳으로 여겨졌다. 트라케 사람들은 그리스의 관습과 언어와 다른 독자적

---

3) M. -X., Garezou, "Orpheus," in *Lexicon Iconographicum Mythologiae Classicae* VII(Zürich: Artemis & Winkler Verlag, Artemis & Winkler Verlag, 1981-1999), 81-105(이하 LIMC VII, "Orpheus"로 표기), M. -X. Garezou, "Orpheus," in *Lexicon Iconographicum Mythologiae Classicae. Supplementum* I(Zürich: Artemis & Winkler Verlag, Artemis & Winkler Verlag, 2009), 399-405(이하 *LIMC Supplementum*, "Orpheus"로 표기).

문화를 지니고 있어서 이민족, 즉 '바르바로이(barbaroi)'라고 불렸다.[4] 그럼에도 이곳은 그리스신화에 등장하는 많은 인물의 탄생지이자 주요 활동무대로 등장한다. 그리고 그리스와 로마 신화, 그리고 그리스도교에서도 큰 영향력을 미치는 오르페우스도 태어나서 죽음을 맞을 때까지의 대부분을 이곳, 트라케에서 활동한다.

오르페우스의 신화의 배경이 되는 곳, 즉 그의 영웅성이 발현되는 장소로 설정되는 공간인 트라케는 에게해와 흑해 사이의 땅, 테르마이코스 만(Thermaic Gulf)의 서쪽 해안에서 흑해까지를 아우르는 피에리아(Pieria)지역을 중심으로 한다.[5] 산악을 중심으로 한 이들의 문화는 해양 중심적인 아테네와 같은 많은 그리스의 폴리스의 시민들의 삶의 그것과는 다른 모습이었다. 트라케인들이 그리스 본토나 섬에 거주하던 그리스인들과는 많은 부분에서 상이한 점을 지니고 있었지만, 실제로 이들은 청동기 시대부터 그리스 문화권에 포함되어 있었다. 호메로스의 『일리아스』에서 트로이로 출정을 떠나는 군대의 명단에 트라케의 세 지역에서 파견된 군대가 포함되어 있기 때문이다.[6] 따라서 이들은 그리스어를 사용하는 그리스인으로 간주되지는 않았으나, 상당부분 그리스인들과의 친밀한 교류를 통해 친숙한 관계를 맺었던 것으로 보인다. 역사적으로, 서기전 7세기말부터 그리스인들이 흑해 연안에 진출하여 식민도시를 건설하였다. 트라케 지역은 목재, 광산, 수산물과 사냥감, 평야에서 나는 곡물 등과 같은 천연자원이 풍부한 곳이었다. 무엇보다도 이 트라케의 산림에서 나는 목재는 그것이 충분치 않았던 그리스인들에게 탐나는 자원이었다. 특히 발한 해상 활동을 바탕으로 고전기에 막강한 해군력을 자랑하던 아테네인들은 선박의 건조에 필요한 목재의 공급원으로써 트라케 지역의 중요성을 인지하고 이곳에 식민지를 건설하기도 했다.[7] 그러나 트라케의

---

4) Herodotus 2.167, Thukydides 2.97, 4.109. Herodotus 8.144에서 그리스적인 특징 (Greekness)은 혈연, 언어, 숭배 장소, 희생제, 관습으로 구분된다.

5) Despina Tsiafakis, "The Allure and Repulsion of Thracians in the Art of Classical Athens," in Beth Cohen (ed.) *Not the Classical Ideal* (Leiden: Brill, 2000), 365. 정확한 지도상의 위치는 Πέδρο Ολάγια, Μυθολογικός Άτλας της Ελλάδας (Αθήνα: Road Εκδόσεις A. E., 2003), 261, map.13을 참고할 것.

6) Homer, Iliad, 2.844, 5.862, 6.8.

7) 아테네의 귀족 밀티아데스(Miltiades the Elder)는 트라키아인들이 거주하던 헬레스폰토스(Hellespont)의 서쪽 지역에 아테네의 식민지를 건설한다(Herodotus, 6.34).

광활한 지역의 상당부분이 산악지역인 까닭에 해안에 정착한 그리스인들이 산악지역까지 파악하는 것은 한계가 있었고 5세기 초까지도 미지의 땅으로 여겨졌다.[8] 실제로 흑해의 서쪽에는 각기 다른 군주에 의해 지배되는 여럿의 트라케 부족이 정착해 있었고 이들은 각기 다른 이름을 지녔지만, 그리스인들은 그들을 뭉뚱그려서 '트라케인(Thracian)'으로 불렀다.[9]

트라케와 그 사람들은 신화, 역사, 문화적인 면에서 그리스인들과 긴밀히 관련이 되어 있었지만, 트라케인들은 결코 그리스인으로 간주되지 않은 이민족이었다. 동시에 적대적인 이민족으로 간주되지도 않았다. 그리스인들에게 트라케의 이미지가 주변적 공간으로써 인식되면서 이 공간은 야만적이면서도 이성으로 이해되지 않는 놀랍고 범상치 않은 일이 벌어지는 미지의 장소로 각인되었다. 트라케의 문화에 대해서는 헤로도토스가 자세히 기술하고 있는데, 그 대부분은 그리스인의 문화와는 이질적인 것이었다.

> ... 그들은 한 남자가 여러 아내를 거느리는데, 남자가 죽으면 그가 어느 아내를 가장 사랑했는지 아내들 사이에 격론이 벌어지고, 그의 친구들도 이 문제로 진지하게 의논한다. 가장 사랑받고 존경받은 것으로 판정된 아내는 남자들과 여자들의 찬사를 받으며 남편의 무덤위에서 그녀의 가장 가까운 친족에 손에 살해되어 남편 곁에 묻힌다. 다른 아내들은 그것을 큰 불운으로 여긴다. 그들에게 그보다 더한 치욕이 없기 때문이다....[10]

트라케인들의 일부다처제와 순장의 풍습은 그리스인 헤로도토스에게 낯선 문화로 여겨졌다. 그는 또한 트라케인들의 다른 이질적인 문화에 대해서 계속 언급한다.

---

8) Gocha R. Tsetskhladze, "Black Sea Ethnicities," in Jeremy McInerney(ed.), *A Companion to Ethnicity in the Ancient Mediterranean*(Chichester, West Sussex : John Wiley & Sons Inc., 2014), 312-313.

9) 실제 트라케인들에게는 트리발리(Triballi), 로도피아나(Rhodopians), 다르다니(Dardani), 하에미아나(Haemians) 부족명이 있었다.

10) 헤로도토스, 『역사』, 5.5, 천병희 역(숲, 2009), 476.

...그들은 자식들을 외국에 판다. 미혼녀들은 감시하지 않고 좋아하는 남자들과 교합하도록 방치하는 반면, 기혼녀들은 엄중히 감시하고 거금을 주고 그녀들의 부모들에게서 사 온다. 몸에 문신을 새긴 자를 명문가 자제로 여기고, 문신이 없는 자는 천한 자로 여긴다. 일하지 않는 것을 가장 귀하게 여기고, 농사일을 하는 것을 가장 수치스럽게 여긴다. 가장 명예롭게 사는 길은 전쟁과 약탈로 살아가는 것이다. 이상이 그들의 가장 주목할 만한 관습이다.[11]

트라케인들의 문신의 관습은 많은 도기화에서도 관찰되고 있어서, 트라케인들을 시각적으로 구분하는 대표적인 방식으로 사용되었다는 문헌의 내용과도 일치한다. 트라케인들의 인신매매의 관습은 그리스에서 필요한 노예를 공급하는 주요 공급지가 트라케였다는 사실과 일치한다.[12] 특히 아테네의 가정에서 어린 아이를 돌보는 보모(trophoi)가 트라케 출신의 여성이었다는 문헌이 전한다.[13] 이러한 고전기의 문헌들은 트라케에 대한 거리감에 공간적인 것뿐만 아니라 문화적인 것이 상당 부분 포함되어 있었음을 드러낸다. 즉, 트라케는 폴리스와 같은 합리적인 체계나 이성이 지배하지 않는 그리스의 바깥, 문명의 경계 너머의 공간으로 상정되었던 것으로 보인다. 잦은 교류와 접촉에도 트라케인들의 관습은 그리스인의 그것과는 너무나도 다른 이질적인 것이었다.

낯선 공간인 트라케가 그리스의 영웅이 고난을 극복하는 배경으로 설정된 일례는 헤라클레스의 여덟 번째 고역을 다룬 일화에서 잘 드러난다. 흑해 연안에 살고 있던 트라케의 왕 디오메데스(Diomedes)는 그 땅을 찾은 여행자들을 잡아다 자신이 소유한 인육을 먹는 괴마에게 먹이로 주었다.[14] 에우리스테우스(Eurysteus)의 요구로 고역을 수행하던 헤라클레스는 디오메데스와 몸싸움을 벌여서 승리를 거두게 된다. 헤라클레스는 패배한 디오메데스를 괴마에게 먹이로 주어 배를 부르게 한 뒤, 괴마가 온순해진 틈을 타서 에우리스테우스에게 데려가면서 여덟 번째 고역을 완수한다.

---

11) 헤로도토스, 『역사』, 5.6, 천병희 역(숲, 2009), 476-7.
12) Herodotus 5.23.
13) Herodotus 5.6. 에우리피데스의 집에도 트라케 여성이 하녀로 있었다(Aristophanes, *Thesmophoriazousai* 280).
14) (Apollodorus), *The Library* 2.5.8

이 신화는 그리스인들에게 각인된 트라케에 관한 두 가지 특징을 반영하고 있다. 그 첫째는 이 지역이 말로 유명하다는 점이다. 이미 호메로스의 일리아스에도 트라케는 '말을 타는 자들의 땅'으로 불렸다.[15] 그리스의 영토에 비해서 광대한 땅을 터로 하고 있던 트라케인들에게 말은 유용한 이동 수단이었다. 그리스 본토에서도 말이 존재했지만, 그리스인들은 가파른 산길과 거친 길이 많은 그리스의 땅에서는 일상의 운송 수단으로 말을 사용하지 않았다. 오히려 전쟁이나 경주, 사회 엘리트의 교통수단, 대외 과시의 목적으로 사용되는 것이 일반적이었다.[16] 고전기 그리스인들에게 트라케인은 말을 잘 다루는 것으로 알려져 있었고, 많은 도기화를 비롯해 아크로폴리스에 파르테논 프리즈에도 트라케인은 말을 탄 모습으로 등장한다.

두 번째는 디오메데스가 괴마의 희생 제물이 된다는 설정인데 이는 트라케와 인간을 희생물로 삼는 문화와 관련이 있음을 보인다. 앞서 인용한 것처럼, 헤로도토스는 트라케의 일부다처제의 문화를 소개하면서 남편이 죽었을 경우에 그가 가장 사랑한 아내를 남편과 함께 매장하고, 선택된 아내는 그것을 대단한 영광으로 여겼다고 진술하면서 이곳의 이질적인 장례문화와 인간 희생의 문화를 다룬다.[17] 일반적으로 그리스인들에게 인간을 희생 제물로 사용하는 관습은 익숙하지 않은 것이었다. 그리스 문헌에서 인간을 제물로 삼는 희생제의가 종종 목격되지만, 실질적으로 대개의 희생제는 동물을 제물로 삼은 것이 일반적이었다.[18] 헤로도토스는 담담하게 이국의 순장 문화를 언급했지만, 그것을 읽는 그리스의 독자들은 트라케의 문화와 자신들의 문화를 비교하면서 그리스적인 것과 그렇지 않은 것, 문명과 문명화되지 않은 지역의 경계를

---

15) Homer, *Iliad,* 13.4, 13.576, 23.808

16) Mark Griffith, "Horsepower and Donkeywork: Equids and the Ancient Greek Imagination," *Classical Philology* 101(2006): 198.

17) Herorotus 5.4.

18) 최근까지는 이를 뒷받침하는 고고학적 증거는 존재하지 않았으나, 2016년 8월에 그리스와 미국 고고학 연구팀의 공동 발굴의 결과로 리카이온(Lykaion)의 제우스 제단의 바로 아래에서 불에 탄 흔적이 있는 소년의 인골이 발견되었다. 이에 그리스 희생제의에서 인간 희생물에 대한 재검토가 이루어지고 있지만, 그리스의 희생제의 전반에서 인간 제물은 동물 제물에 비해서 비일상적이었다는 입장은 여전히 유효한 것으로 보인다(김혜진, "리카이온(Lykaion)의 제우스 제단의 발굴에 대한 논평," 서양고대사연구 제46집(2016), 189-192).

인지할 수 있었다. 트라케인들과 그리스인들은 빈번히 교류와 접촉을 통해 서로를 인식하고 있었지만, 근본적인 문화적 차이는 그리스와 트라케를 서로를 이질적인 공간으로 남겨두었다.

3. 도기화 속 오르페우스

　트라케 출신으로 고대부터 가장 널리 알려진 인물 가운데 하나가 오르페우스이다. 그리스 신화학자 피에르 그리말(Pierre Grimal)은 오르페우스는 신화를 신화와 종교에서 가장 난해하고 상징성이 풍부하다고 평가한다.[19] 그가 단순한 영웅이 아니라 후대에 종교로까지 발전하면서 숭배의 대상이 된 것에 대해서, 서기 2세기경 로마시대의 저술가인 파우시아니아스는 다음과 같이 전한다.

　　… 그리스인들 사이에 믿기지 않는 이야기들이 많이 전하는데, 그 가운데 하나가 무사(mousa) 칼리오페(Kalliope)의 아들인 오르페우스의 이야기이다… 그는 자신의 아내를 구하기 위해 살아있는 채로 하데스(지하세계)로 내려갔다. 내 견해로는, 오르페우스의 노랫말은 그 선대의 시인들의 것보다 뛰어났고, 그는 비의(mysteries)와 죄의 정화(purification), 질병의 치료, 신의 분노를 피하는 법을 발견하는 경지에 도달했다.[20]

　숭배의 대상으로써의 오르페우스와 관련해서 고대부터 중세에 이르기까지 방대한 분량의 문헌이 남겨져 있다. 오르페우스의 신화 전체나 오르페우스교를 논하는 것은 본 연구에서 다룰 논의의 범주를 벗어나는 일이므로 아티카 도기화에 재현된 이미지와 관련된 주요한 신화의 내용을 간단히 정리해 보고자 한다.[21]

---

19) 피에르 그리말, 『그리스로마 신화사전』(열린책들, 2006), s.v. "오르페우스".
20) Pausasnia, 9.30.4.
21) 오르페우스에 관한 전승은 다양한 작가들에 의해 파편적으로 전하고 있고, 후에는 종교적인 영향력과 상징성이 더해져 복잡한 양상을 띤다. 그에 관한 방대한 양의 전승은 Otto Kern, Orphicorum Fragmenta(Berolini : Apud Weidmannos, 1922)에 정리되어

오르페우스는 트라케의 왕이자 강의 신인 오이아그로스(Oiagros)의 아들이다. 다른 전승에서는, 오르페우스는 아폴로와 무사이의 일원인 칼리오페(Kalliope)의 아들로 전한다.[22] 오르페우스는 아폴로와 무사이에서 음악적 재능을 습득하고 한때 이집트를 여행하기도 했다.[23] 그의 음악적 재능은 동물과 식물, 돌이나 파도와 같은 무생물까지도 도취시킬 정도로 뛰어났고, 그의 모험에 있어서 중요한 모티프가 된다. 실제로 오르페우스의 신화에서 가장 극적인 세 사건이라 할 수 있는 아르고호의 원정과 죽은 아내를 구하는 일화, 그의 죽음은 모두 그의 음악과 관련이 있다.

오르페우스는 이아손(Jason)과 그리스 전역에서 뽑힌 영웅들과 함께 콜키스(Kolchis)의 황금양털을 구하러 가는 아르고호 원정대에 정조수이자 제사장으로 참여한다. 목적지로 향하는 여정에서 오르페우스는 사이렌이 부르는 마법의 노래로부터 선원들을 지켜낸다.[24] 여정을 마치고 트라케로 돌아와 오르페우스는 에우리디케와 결혼한다. 불행히도 그의 아내는 그녀를 겁탈하려는 아리스타이오스(Aristaios)를 피해 도망가다 뱀을 실수로 밟아 뱀에게 물리면서 트라케의 한 강변에서 죽게 된다. 아내를 잃은 오르페우스의 슬픈 노래는 지하세계의 신들을 감동시켰고, 살아 있는 사람의 신분으로 지하 세계에게 내려가 아내를 찾아 올 수 있는 기회를 얻었다. 하계에서 에우리디케를 찾아 손을 잡고 이승으로 오는 길에, 하계를 떠나기 전까지 뒤를 돌아보지 말아야 한다는 하데스와의 약속을 지키지 못하면서 에우리디케를 다시 잃게 된다. 아내를 두 번 상실한 그는 더욱 큰 슬픔에 빠졌고, 곧 그를 죽음으로 이끌게 된다. 오르페우스의 죽음에 관해서는 다양한 전승이 있다. 죽은 아내만을 그리워하고 주변의 트라케의 여성들을 거들떠도 보지 않자 트라케 여인들의 노여움을 사서 그들에

있다. 오르페우스 신화를 다루는 주요한 전승은 Ovid, *Metamorphoses*, 10.1-11.84, Virgil, *Georgics* 4.453-527이다. 더 이른 시기의 전승에서는 오르페우스가 아르고선원의 일원으로 간략하게 등장할 뿐이다(Apollonius Rhodius, *Argonautica*.). 고대의 오르페우스 신화와 그 변화에 관해서는 William K. C. Guthrie, *Orpheus and Greek Religion: A Study of the Orphic Movement*(Princeton University Press, 1993), 25-38를 참고할 것.

22) *LIMC* VII, "Orpheus," 81.
23) Diodorus Siculus 4.25.2 - 4.
24) Apollonius Rhodius, *Argonautica* 2.927-929.

게 죽임을 당했다는 설과 인간이 알아서는 안 되는 비밀을 비의에서 발설하여 신들의 노여움을 사 번개에 맞아 죽었다는 설[25], 디오니소스교의 추종자들인 마에나데스(maenades)의 분노로 죽임을 당했다는 설[26] 등이 있다. 죽음 이후에도 그의 시신과 관련해 신비한 일들이 벌어졌다.[27] 베르길리우스와 오비디우스에 따르면, 트라케의 여인들이 갈기갈기 찢은 오르페우스의 시신은 트라케의 헤브로스(Hebros)강에 버려져 레스보스(Lesbos)섬에 도달했다. 거기서 그의 잘려진 머리는 계속 노래를 불렀고, 사람들은 그 신비한 머리를 이용해 신탁을 받았다고 한다.[28]

3.1. 아르고원정대

아르고호 원정대의 일원으로 참여한 오르페우스의 도상은 현재 단 한 개만이 남아 있다. 이것은 델피의 성소에 남겨진 시키온인들의 보고(Sikyonian Thesaurus)를 장식한 부조로, 그의 모습은 '오르파스(ΟΡΦΑΣ)'라고 적힌 명문을 통해 확인된다[29](도 1). 본 연구의 대상이 되는 아티카의 도기화에 대한 풍부한 자료를 제공하는 *LIMC*와 그 증보판에는 고대 미술에서 오르페우스를 재현한 도상이 222개가 실려 있는데, 그 가운데 아르고호의 원정과 관련된 그리스 시대의 미술품은 단 한 개라는 점은 의미심장하다. 이것은 아르고호 원정대의 주제가 그리스 미술에서 결코 인기가 없는 주제가 아니었다는 점을 볼 때 더욱 그러하다. 이러한 현상은 예술가들이 오르페우스를 시각적으로 재현할 때 아르고호 원정대의 일화가 오르페우스의 신화에서 크게 부각되지 않는다는 점을 방증한다고 볼 수 있다. 아마도 아르고호 원정대에서 오르페우스의 역할이 그다지 크지 않았고, 그의 영웅적인 면모가 동행한 이아손이나 헤라클레스와 같

---

25) Pausanias, 9.30.5.
26) (Apollodorus), *The Library*, 1.3.2.
27) Pausanias, 9.30.8-9.
28) Virgil, *Georgics*, 4.520-527, Ovid, Metamorphoses, 11.50-60. 오르페우스 시신이 레스보스 섬으로 도착한다는 전승은 서기전 4세기의 시인 파노클레스(Phanocles)에 의해서도 언급된다(Phanocles, fragment 1, translation by S. Burges Watson, *Living Poets*, (Durham, 2014), https://livingpoets.dur.ac.uk/w/Phanocles,_fragment_1_Powell?oldid=2551)(접속일: 2017년1월30일).
29) *LIMC* VII, "Orpheus," no.6.

도 1. 〈시키오니아 보고(Sikyonian Treasury)〉의 메토프(Metope) 부조,
서기전 570-550년경, 델피(Delphi) 고고학박물관 (사진출처: *LIMC* VII, "Orpheus," no.6).

이 지략이나 체력적인 강인함으로 임무를 완수하는 모습과는 차이가 있기 때문인 것으로 보인다. 즉, 오르페우스는 전형적인 그리스의 영웅들이 이성이나 체력적인 강인함으로 고난을 극복하는 것과 달리 음악이라는 매체를 통해서 감성을 자극해 상대를 제압하는 주술사와 같은 능력으로 고난을 극복한다는 점에서 차이가 있다. 오르페우스는 감상적이고 때로는 나약하지만 평범한 인간은 경험할 수 없는 경지에 이르는 예술가의 이미지를 담고 있다.

다른 한편으로, 그의 정신적 나약함은 후에 지하세계에서 아내를 향해 뒤 돌아보지 말라는 약속을 지키지 못한 사건에서도 잘 드러난다. 여기서 그가 여느 영웅들과 달리 절대적인 강인함을 지닌 대신에 불완전한 인간의 면모를 지녔다는 점이 확인된다. 이렇게 신화를 통해 드러나는 오르페우스의 특징들은 그를 전형적인 그리스 영웅이 탄생하는 행로인 아르고호 원정대의 일원으로보다는 다른 신비한 일화 속의 주인공으로서의 모습이 예술가들에게 더 매력적이었던 것으로 보인다.

3.2. 음악

비극『아가멤논』에서 아에스킬로스는 클뤼타임네스트라를 비난하는 아이기스토스의 입을 빌려 오르페우스의 노래에 대해 언급한다.

> ...그대의 혓바닥은 오르페우스의 그것과는 영 딴판이로구나.
>
> 그는 자기 음성으로 만물을 즐거움으로 이끌었는데, ...[30]

오르페우스가 청중을 사로잡는 장면은 고대 미술에서 그와 관련된 도상으로 가장 많이 접할 수 있는 주제이다. 흥미로운 것은 그 청중이 시대에 따라서 달라지는데, 로마시대의 모자이크를 비롯한 미술품에서는 다양한 동식물에 둘러싸여 음악을 연주하는 모습이라면 고전기 그리스미술에서는 오르페우스의 청중으로 트라케인들인이 등장하는 것을 볼 수 있다. 때로는 고전기 아티카의 도기화에서 트라케인을 대신해 사튀로스가 등장하는 사례로 볼 수 있다. 오르페우스의 음악이 교화할 수 있는 대상이 트라케인이라는 이민족에서 사튀로스라는 반인반수로, 그리고 후대에는 동식물로 대체되어 점차 그 범주가 확장되는 현상은 매우 흥미롭다.

오르페우스의 음악과 노래가 사람들을 매료시키는 주제는 오르페우스가 재현된 도기화의 상당수에 해당되는데, 그 대부분은 5세기 중반부터 아티카 지역에서 집중적으로 제작된다. 서기전 440년경 오르페우스 화가의 작품으로 알려진 한 적화식 항아리(column-krater)에는 오르페우스가 음악과 연주로 트라케인들을 매료시키는 장면이 그려진다(도 2). 항아리의 양 손잡이 사이에 마련된 도기화의 중앙부에 오르페우스가 바위에 걸터 앉아있다. 그의 머리에는 월계관이 씌워져 있고, 상체가 드러나는 히마티온을 걸치고 있다. 리라를 연주하며 위쪽으로 고개를 들어 올려 부르는 오르페우스의 노랫가락이 벌어진 입술 사이로 새어나오는 듯이 보인다. 오르페우스의 양 옆으로 각각 두 명의 인물이 그려져 있는데, 그들 모두는 트라케인들의 의복으로 알려진 기하학적 문양이 화려하게 장식된 망토인 제이라(zeira)를 어깨에 걸치

---

30) Aeschylus, *Agamemnon*, 1628-1633.

도 2. 오르페우스 화가(Orpheus Painter) 양식, 아티카 적화식 항아리(Column-krater),
서기전 440년, 베를린 고대박물관(Staatliche Museen zu Berlin, Antikensammlung)
(사진출처: *LIMC* VII, "Orpheus," no.9).

고 있다. 또한 머리에는 트라케인의 모자로 알려진 끝이 뾰족한 알로페키스(alopekis)
를 쓰거나 줄이 달린 모자를 목에 걸고 있다.[31] 트라케인들의 손에는 창이 쥐어져 있
어서 그들이 모두 군인임을 암시한다. 이어서 오르페우스의 뒤편에 선 인물은 그의
음악에 취해서 눈을 감고 있고 그의 어깨에 기대어 선 동료로 오르페우스를 바라보며
그의 음악에 심취해 있다. 오르페우스의 앞쪽에 선 남성은 음악에 집중하며 오르페우
스를 응시한다. 이어서 그의 뒤에는 망토로 몸을 감싸고 선 남성이 이제 막 오르페우
스의 음악을 들었는지 고개만이 오르페우스를 향하고 있다. 아직 그의 발은 정면을 향
하고 있어서 오르페우스의 음악에 완전히 취하지는 않은 것 같다. 이 도기화에서 오르
페우스는 그의 신화 상의 태생지인 트라케인의 특징이 거의 나타나지 않은 채, 그리스
인처럼 보인다. 반면에 오르페우스의 음악에 공감하는 남성들이 트라케인이라는 설정
은 이 장면의 배경이 되는 공간을 이국적으로 만든다. 전투나 훈련에 임하려는 트라케

---

31) 트라케인의 의복에 관해서는 Herototus 7.75을 참고.

의 거친 남성들을 순화시키고 그들의 야생성을 잠재우는 오르페우스의 음악은 이제 사튀로스에게도 미친다.[32]

　서기전 440-430년경에 제작된 물을 담는 적화식 항아리(hydria)에는 오르페우스의 음악에 인간은 물론 반인반수의 신화적 존재인 사튀로스까지도 심취하는 모습이 그려져 있다(도 3). 바위에 앉은 오르페우스는 상체가 드러나게 히마티온을 걸치고 리라를 연주하고 있다. 그의 앞에는 한 명의 트라케인과 그가 이끄는 말이 움직임을 멈추고 오르페우스의 음악에 귀를 기울이며 그를 응시하고 있어서, 마치 오르페우스의 음악에 트라케 군인과 군마가 전의를 잃은 듯이 보인다. 오르페우스의 뒤편으로는 사튀로스가 바위에 기대어 오르페우스의 음악을 감상하느라 동작을 멈추고 오르페우스가 앉은 바위에 왼팔을 뻗어 기대어 서 있다. 인간과 동물, 반인반수의 존재들이 오르페우스의 음악에 매료되어 일상의 책무를 잊을 정도였으나, 트라케의 여성들은 다른 방식으로 반응을 보인다.

　서기전 440년경에 제작된 물을 담는 항아리(hydria)에 그려진 장면은 오르페우스가 음악으로 남성들을 홀리자 여성들이 이에 분노하는 장면을 담고 있다(도 4). 앞서 본 도기화와 흡사하게 사튀로스는 오르페우스가 앉은 바위에 팔을 기대어 서 있고, 트라케 군인은 한 손에 창은 들고 서 있다. 그러나 앞서 살펴본 도기화와 달리, 이 두 청중의 뒤에는 트라케의 여성 두 명이 추가된다. 트라케 군인의 뒤쪽에는 창을 든 여성이 짧은 키톤을 입고 서 있는데, 그녀의 발은 정면을 향하고 있어서 오르페우스의 음악에 도취되지 않은 상태를 드러낸다. 그리고 사튀로스의 뒤편에는 창을 든 여성의 동료가 가내 도구인 절굿공이(pestle)를 뛰어 오고 있다. 곧 무기를 이용해 공격할 듯이 달려드는 트라케 여성의 동세는 정적인 자세로 음악을 감상하는 트라케 남성이나 사튀로스와는 대조적이다.[33] 오르페우스의 음악은 트라케 남성들의 일상에 지장을 주었고, 이는 트라케 여성들의 분노를 일으켜 결국 오르페우스를 죽음에 이르게 한다.

---

32) Pausanias, 9.30.5.

33) François Lissarrague, "The Athenian Image of the Foreigner," in Thomas Harrison (ed.), *Greeks and Barbarians*(New York : Routledge, 2002), 120-121, fig.12.

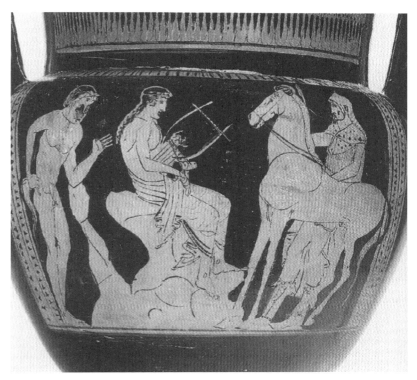

도 3. 타르퀴니아707 화가 (Tarquinia 707 Painter), 아티카 적화식 항아리(krater),
서기전 430년, 포틀랜드 미술관 (사진출처: *LIMC* Ⅶ, "Orpheus," no.23).

도 4. 타르퀴니아707 화가, 아티카 적화식 물단지(hydria), 서기전 440BC, 파리 프티팔레(Petit Palais)
(그림출처: François Lissarrague, "The Athenian Image of the Foreigner," in Thomas
Harrison (ed.), *Greeks and Barbarians* (New York : Routledge, 2002), pp.120, fig.12).

3.3. 죽음

고대의 전승에 따르면 남성들은 오르페우스의 음악에 매료되었지만 여성들은 그렇지 않았다고 전한다.[34] 오르페우스가 에우리디케에 대한 상실감으로 다른 여성을 거들떠보지 않았건, 디오니소스교도였던 메이나데스에 의해 죽음을 맞이한 것이든, 그의 죽음은 어찌되었든 여성들과 관련이 있다.[35] 파우사니아스와 오비디우스는 여성을 거부한 오르페우스의 활동이 여성들의 공분을 자아내게 되고 결국 그를 죽음으로 몰고 가는 것으로 추측하게 한다.[36] 오르페우스의 음악이 트라케여성들의 공분을 자아내고 그를 죽음에 이르게 하는 장면을 재현한 이러한 이미지는 동성애와 관련해 해석되기도 한다. 서기전 4세기에 활동한 시인 파노클레스(Phanokles)는 남성 동성애의 기원이 오르페우스에게서 비롯되었다고 언급한다.[37] 이러한 정황으로 볼 때, 트라케 여성들의 분노는 남성들이 자신들의 책무를 다하지 않고 오르페우스와 그의 음악에 매료되었기 때문이었던 것은 분명해 보인다.[38]

서기전 5세기의 아티카의 도기화에서는 트라케 여성들의 분노와 오르페우스의 죽음이 노골적으로 시각화된다. 서기전 440-430년경에 제작된 항아리(krater)에 재현된 도기화는 오르페우스에 대한 트라케 여성들의 격렬한 반응을 남성이 제지하는 모습이 묘사된다(도 5).

이어서지는 상황은 서기전 450-440년경에 제작된 항아리(kalyx krater)에서 볼 수 있다(도 6). 이 도기화에는 두 명의 트라케 여성이 오르페우스를 살해하는 장면이 그려져 있다. 화면의 왼쪽에 있는 여성이 꼬챙이로 오르페우스의 목을 찌르고, 화면의 오른쪽에 있는 여성은 양손으로 잡은 도끼를 머리위로 쳐들어 금방이라도 오르페우

---

34) Pausanias, 9.30.

35) Ovid, *Metamorphoses*, 11.1-14.

36) 무덤의 위치는 트라케의 피에리아(Pieria)((Apollodorus), *The Library*, 1.3.2)와 디온 (Dion)(Pausanias, 9.30.1)이 언급된다.

37) Phanocles, fragment 1.7-10, Ovid, *Metamorphoses*, 10.83-85.

38) Beth Cohen, "Man-killers and their Victims: Inversions of the Heroic Ideal in Classical Art," in *Not the Classical Ideal*(Leiden: Brill, 2000), 98-131, Timothy J. McNiven, "Behaving like an Other: Telltale Gestures in Athenian Vase Painting," in *Not the Classical Ideal*(Leiden: Brill, 2000), 71-97.

도 5. 런던 E497 화가, 아티카 적화식 항아리(krater), 서기전 440-430년,
뉴욕 메트로폴리탄 박물관 (사진출처: *LIMC* VII, "Orpheus," no.26).

도 6. 아티카 적화식 항아리(kalyx-krater), 서기전 450-440년, 말리부 게티 박물관
(사진출처: *LIMC Supplementum* I, "Orpheus," add.2).

스의 머리를 내려칠 것 같아 보인다. 두 명의 여성은 모두 긴 키톤을 입고 있지만, 양 팔에 새겨진 문신은 그들이 외국인임을 드러낸다.[39] 오르페우스는 머리에 관을 쓰고, 키톤에 히마티온을 걸친 모습이지만, 급박한 상황으로 그의 리라는 바닥에 고꾸라져 있다. 목숨을 위협하는 꼬챙이를 한손으로 막으려고 애를 써보지만 그에게는 역부족 으로 보인다. 이 도기의 반대쪽에는 오르페우스의 죽음을 막지 못한 트라케 남성 세 명이 그려져 있다.[40]

서기전 490-480년경에 도키마시아 화가(Dokimasia Painter)가 제작한 것으로 알려 진 한 적화식 항아리에서 여성들의 폭력은 극으로 치닫고 트라케 남성들은 더 이상 등장하지 않는다(도 7). 정면을 향하고 있는 오르페우스의 목과 가슴에는 이미 칼이 꽂혀 있고, 상처에서는 피가 나온다. 오르페우스는 바닥에 쓰려지면서도, 큰 돌로 내 리치려는 여성의 공격을 오른손에 든 리라를 들어 막아 보려고 한다. 칼과 돌로 공격

도 7. 도키마시아 화가(Dokimasia Painter) 양식, 아티카 적화식 항아리(stamnos),
서기전 490-480년, 취리히대학 고고학박물관(Archaeologische Sammlung der Universitaet Zurich)
(사진출처: *LIMC* VII, "Orpheus," no.36).

39) 서기전 5세기 중반부터 그리스미술에서 나체의 몸은 이상적인 신체로 상정되는데, 그것은 완전하고 절대적인 나체(total and absolute nudity)였다. 문신이나 변형을 가한 몸은 그리스 적인 것으로 간주되지 않았다.(Claude Berard, "The Image of the Other and the Foreign Hero," in Beth Cohen(ed.) Not the Classical Ideal(Leiden: Brill, 2000), .391,n.4).

40) Despoina Tsiafakis. "Thracian Tattoos," in Dietrich Boschung, Alan Shapiro, and Frank Wascheck(eds.), *Bodies in Transition: Dissolving the Boundaries of Embodied Knowledge*(Paderborn : Wilhelm Fink, 2015), 102-103, fig. 6a-c.

을 가하는 두 여성은 키톤을 입고 있지만, 팔에 새겨진 문신은 이들이 외국인임을 드러낸다.[41] 화면의 가장 왼쪽의 여성은 트라케 남성이 입는 망토를 걸치고 있어서 이들의 출신이 트라케라는 사실을 알려준다. 같은 화가의 다른 도기화에서도 동일한 장면이 재현되는데, 여기서 여성들의 출신이 트라케라는 점은 이미 의복이나 문신에서도 드러나지 않는다.[42]

3.4. 신탁

오르페우스의 도상 가운데 가장 기괴한 것은 일명 '예언하는 머리(oracular head)'로 불리는 범주의 사례들이다. 오비디우스는 오르페우스가 죽은 후에 그의 리라와 잘려진 머리는 헤브로스(Hebros) 강물에 버려진 뒤에도 노래를 부르고 있었다고 전한

도 8. 아티카 적화식 물단지, 서기전 440-430년, 바젤 고대박물관
(Basel Antikenmuseum)(사진출처: *LIMC* VII, "Orpheus," no.68).

---

41) 외국인의 문신에 관해서는 Herodotus, 7.233를 참고할 것.

42) *LIMC* VII, "Orpheus", no.35의 도기화에서 오르페우스의 목은 이미 날카로운 것에 찔려 몸이 바닥에 반쯤 쓰러져 있고, 오른손에 힘없이 리라를 들고 있다. 반면에 여성들은 호박돌, 절굿공이, 꼬챙이, 손도끼와 같은 가정과 농장에서 사용하는 다양한 도구를 무기로 들고 오르페우스를 향해 돌진한다.

다.[43] 오르페우스의 머리가 바다를 건너서 레스보스 섬에 도착했는데, 그것이 지닌 신탁의 능력은 아폴론이 탐탁지 않게 여길 정도로 신통했다고 전한다.[44]

오르페우스의 예언하는 머리와 관련된 도기화는 현재까지 총 4개의 사례가 밝혀져 있는데, 가장 잘 알려진 것은 서기전 440-430년경에 제작된 물을 담는 항아리(hydria)이다[45](도 8). 도기화의 중앙 바닥에 큰 크기의 머리가 놓여 있고, 주변에는 악기를 든 무사들(mousai)이 있다. 이 머리를 향해 손을 내민 남성은 두 개의 창에 몸을 의지하고 한 발은 바위에 올리고 있는데, 오르페우스의 머리에서 응답을 이끌어 내려고 애쓰고 있다.

도 9. 아티카 적화식 술병(oinochoe), 비젤 고대박물관 (사진출처: *LIMC Supplementum* I, "Orpheus," add.6).

최근에 알려진 비슷한 사례는 중앙 바닥에 놓인 머리를 향해 한 남성이 한쪽 다리를 바위에 기댄 채 손을 내밀고 신탁을 의뢰하는 모습이 그려져 있다.(도 9). 그의 뒤로는 리라가 걸려있고, 그의 앞에는 의자에 앉아서 두루마리 문서를 읽는 여성이 그려져 있다.

3.5. 지하세계

지하세계로 아내 에우리디케를 찾으러 나선 오르페우스의 일화는 고전기 문헌에서도 언급되지만,[46] 로마의 전승에서 더 강조되는 경향이 있다. 현재까지의 알려진 바로는 서기전 5세기경의 아티카 도기화에서는 지하세계로의 여정(katabasis)은 재현된

---

43) Ovid, *Metamorphoses*, 11.49-55.

44) Philostratus, *Life of Apollonius*, 4.14. Ovid, *Metamorphoses*, 11.57-60.

45) Sarah Burges Watson, "Muses of Lesbos or(Aeschylean) Muses of Pieria Orpheus' Head on a Fifth-century Hydria," *Greek, Roman and Byzantine Studies* 53(2013): 441-460

46) Euripides, *Alcestis*, 357-262, Plato, *Symposium*, 179d.

사례가 없다. 다만, 서기전 460년경에 화가 폴리그노토스가 그린 벽화에서 오르페우스를 목격한 파우사니아의 기록이 유일하게 지하세계와 관련된 오르페우스의 회화의 존재를 전할 뿐이다. 서기 2세기경에 그리스를 여행한 파우사니아스는 델피의 아폴론 성소에 있는 크니디아인들의 사교장(Lesche of the Knidians)를 방문하고 건물의 내벽에 재현된 트로이의 함락(Iliou Persis)과 오디세우스의 지하세계로의 여정(Nekyia)을 재현한 회화에 대해서 자세히 묘사한다.[47] 오르페우스는 지하세계 장면에 포함되어 있었고, 그는 바위에 앉아 나무에 등을 기대고 있다고 짧게 전한다.[48] 파우사니아스는 오르페우스는 트라케 출신으로 잘 알려져 있지만 그리스인처럼 보인다고 덧붙이고 있어서 앞서 본 아티카의 도기화에서 오르페우스가 대부분 트라케적인 의복을 차려 입지 않은 모습과 흡사하게 묘사된 것을 알 수 있다.

본 연구의 범주를 넘어서지만, 지하세계의 오르페우스를 그린 도기화는 주로 서기전 4세기 이탈리아 남부에서 제작된 그리스 도기화가들에게 인기가 많았다.[49] 그리고 남부이탈리아의 도기화가들은 오르페우스의 도상을 트라케 여성과 연관해 그리는 것을 선호하지 않았다는 사실도 흥미롭다. 서기전 5세기의 아테네의 사회적 맥락에서 오르페우스와 트라케의 관련성을 읽어 내는 후속 연구도 충분히 의미가 있어 보인다.

4. 나가는 말

그리스 신화의 많은 경우처럼, 오르페우스의 이름은 그 존재의 본질을 잘 드러낸다. 오르페우스라는 이름 자체에는 상실과 분리의 의미를 담고 있다. 접미사 '에

---

47) Mark D. Stansbury-O'Donnell, "Polygnotos's Nekyia: A Reconstruction and Analysis," *American Journal of Archaeology* 94(1990): 213-235. 이 건물은 19X9.5m의 크기로 내부에는 가로로 2개의 기둥과 세로로 4개의 기둥이 설치되어 있었다. 성소의 북쪽 끝, 극장의 동쪽에 위치해 있었고, 고대에는 전시나 사교의 장으로 사용된 것으로 추측되며, 파우사니아스가 전하는 벽화는 19세기 말에 발굴이 이루어진 당시에도 그 흔적은 찾을 수 없는 상태였다.
48) Pausanias 10.30.7.
49) LIMC VII, "Orpheus," nos. 20, 21, 72-84.

우스(-eus)'는 선문자B에도 등장하는데 '-을 행하는 자'의 의미를 갖는다.[50] 그리고 'orph-'는 영어 'orphan'의 어원이 되는 것으로 '박탈된', '결핍된'의 의미를 갖는다. 오르페우스는 에우리디케의 죽음으로 첫 번째 상실을 겪고 저승에 가서 다시 그녀를 구해오는 것이 실패하면서 두 번째의 상실을 겪는다. 오르페우스는 사랑하는 존재와 분리되고, 죽어서도 자신의 사지가 찢겨 몸이 분리됨으로써 결핍의 신화적 원형이 된다.

오르페우스가 그리스 신화와 미술에서 보여준 여정은 전형적인 영웅의 성공담과는 거리가 멀다. 오르페우스의 신화에서 드러나는 설명할 수 없는 신비한 능력과 주술적 체험은 이성이나 합리성과는 거리가 있어 보인다. 그는 분명히 선택된 영웅이었지만 승승장구하는 영웅으로 행로가 아닌, 일련의 상실과 결핍, 분리의 체험을 통해 초인간적인 영웅의 모습보다는 실패를 딛고 궁극적으로 승리로 나아가는 인간의 모습에 더 가깝다. 오르페우스의 모험은 극한의 결핍과 상실의 공간인 에레미아에서 선과 악을 마주하고 실패와 성공을 거듭하며 하나님의 뜻을 이해하고, 죽음을 초월하여 궁극적인 해답을 찾으려는 인간의 행로와 다르지 않다.

주제어(Keyword): 오르페우스(Orpheus), 오르페우스 신화 (Myths of Orpheus), 트라케(Thrace), 아티카 도기화(Attic Vase Paintings), 아르고호원정대(Argonauts), 예언하는 머리 (Oracular Head)

---

50) Freiert, "Orpheus", 45-6. 어원에 관한 다른 논의는 유재원, 『유재원의 그리스신화 2』(북촌, 2015), 255-256.

참고문헌

김혜진, "리카이온(Lykaion)의 제우스 제단의 발굴에 대한 논평," 서양고대사연구
제46집(2016): 189-192.

유재원, 『유재원의 그리스신화 2』. 북촌, 2015.

피에르 그리말, 『그리스로마 신화사전』, 최애리 번역. 열린책들, 2006.

헤로도토스, 『역사』, 천병희 번역. 숲, 2009.

Aeschylus, Agamemnon. (Oresteia: Agamemnon, Libation-Bearers, Eumenides, trans.
Alan H. Sommerstein). Cambridge, MA : Harvard University Press, 2009.

(Apollodorus), The Library, trans. Sir James George Frazer. London : W.
Heinemann, 1921.

Apollonius Rhodius, Argonautica. (Argonautica, trans. William H. Race).
Cambridge, MA : Harvard University Press, 2009.

Aristophanes, Thesmophoriazousai. (Birds, Lysistrata, Women at the Thesmophoria,
trans. Jeffrey Henderson). Cambridge, MA : Harvard University Press,
2000.

Berard, Claude, "The Image of the Other and the Foreign Hero," in Beth
Cohen(ed.) Not the Classical Ideal. Leiden: Brill, 2000. 390-412.

Cohen, Beth, "Man-killers and their Victims: Inversions of the Heroic Ideal
in Classical Art," in Beth Cohen(ed.), Not the Classical Ideal: Athens
and the Construction of the Other in Greek Art. Leiden: Brill, 2000.
98-131.

Diodorus Siculus. (Library of History, Volume II, trans. C. H. Oldfather). Cambridge,
MA : Harvard University Press, 1935.

Euripides, Alcestis. (Cyclops, Alcestis, Medea, trans. David Kovacs). Cambridge, MA
: Harvard University Press, 1994.

Freiert, Wiliam K., "Orpheus: A Fugue on the Polis," in Dora Carlisky Pozzi
and John Moore Wickersham(eds.) Myth and the Polis. Ithaca: Cornell
University Press, 1991. 32-48.

Garezou, M. -X., "Orpheus," in *Lexicon Iconographicum Mythologiae Classicae* VII. Zürich: Artemis & Winkler Verlag, 1981-1999. 81-105.

Garezou, M. -X., "Orpheus," in *Lexicon Iconographicum Mythologiae Classicae. Supplementum* I. Zürich: Artemis & Winkler Verlag, 2009. 399-405.

Griffith, Mark, "Horsepower and Donkeywork: Equids and the Ancient Greek Imagination," *Classical Philology* 101(2006): 307-358.

Herodotus, *The Persian Wars*(*The Persian Wars*, trans. A.D. Godley). Cambridge : Harvard University Press, 1920-5.

Homer, *Odyssey*. trans. A. T. Murray. Cambridge : Harvard University Press, 1919.

Kern, Otto, *Orphicorum Fragmenta*. Berolini: Apud Weidmannos, 1922.

Lissarrague, François, "The Athenian Image of the Foreigner," in Thomas Harrison(ed.), *Greeks and Barbarians*. New York : Routledge, 2002. 101-124,

McNiven, Timothy J., "Behaving like an Other: Telltale Gestures in Athenian Vase Painting," in Beth Cohen(ed.), *Not the Classical Ideal*. Leiden: Brill, 2000. 71 – 97.

Ολάγια, Πέδρο, Μυθολογικός Άτλας της Ελλάδας, Αθήνα: Road Εκδόσεις Α. Ε.,

Ovid, M*etamorphoses*. (*Metamorphoses, Volume II*, trans. Frank Justus Miller). Cambridge, MA : Harvard University Press, 1916.

Pausanias, *Description of Greece*, trans. W. H. S. Jones. Cambridge : Harvard University Press, 1918-1935.

Phanocles, Fragment 1, translation by S. Burges Watson, *Living Poets*. Durham, 2014. https://livingpoets.dur.ac.uk/w/Phanocles,_fragment_1_Powell?oldid=2551(접속일: 2017년1월30일)

Philostratus, *Life of Apollonius*. (*Lives of the Sophists. Eunapius: Lives of the Philosophers and Sophists*, trans. Wilmer C. Wright). Cambridge, MA : Harvard University Press, 1921.

Plato, *Symposium*. (*Lysis. Symposium. Gorgias*, trans. W. R. M. Lamb). Cambridge,

MA : Harvard University Press, 1925.

Stansbury-O'Donnell, Mark D., "Polygnotos's Nekyia: A Reconstruction and Analysis," *American Journal of Archaeology* 94(1990): 213-235.

Thucydides, *History of the Peloponnesian War*, trans. C. F. Smith. Cambridge : Harvard University Press, 1919-1923.

Tsiafakis, Despina, "The Allure and Repulsion of Thracians in the Art of Classical Athens," in Beth Cohen(ed.) *Not the Classical Ideal*. Leiden: Brill, 2000. 364-389.

Tsetskhladze, Gocha R., "Black Sea Ethnicities," in Jeremy McInerney(ed.), *A Companion to Ethnicity in the Ancient Mediterranean*. Chichester, West Sussex: John Wiley & Sons Inc., 2014. 312-326.

Tsiafakis, Despoina. "Thracian Tattoos," in Dietrich Boschung, Alan Shapiro, and Frank Wascheck(eds.), *Bodies in Transition: Dissolving the Boundaries of Embodied Knowledge*. Paderborn : Wilhelm Fink, 2015. 89-118.

Virgil, *Georgics*. (*Eclogues. Georgics. Aeneid*, trans. G. P. Goold). Cambridge, MA : Harvard University Press, 1999.

Watson, Sarah Burges, "Muses of Lesbos or(Aeschylean) Muses of Pieria Orpheus' Head on a Fifth-century Hydria," *Greek, Roman and Byzantine Studies* 53(2013): 441-460.

William K. C. Guthrie, *Orpheus and Greek Religion: A Study of the Orphic Movement*. Princeton University Press, 1993.

Orpheus in 'Eremia'. The Myth on Some Attic Vase Painting in the Fifth Century BC

Hyejin Kim (Hankuk University of Foreign Studies)

The myth of Orpheus, from birth to death, contains images of deficiency, neglect, and loss. Thrace, a periphery of Greek culture, is the backdrop of the myth as well as where Orpheus's heroism manifests drawing parallels with 'eremia.' The journey of Orpheus illustrated in the myth and Greek artworks is not a typical story of a hero. The mysterious powers and magical experiences depicted in the myth is far from reason or rational thinking – two attributes that are highly regarded in Greek culture. He is a hero but not one that succeeds from one phase to another. Rather, by enduring a series of loss, neglect, and separation, he is akin to a man who overcomes failures in his journey to ultimate success. The adventures of Orpheus is significant because it is not much different from a man's journey, confronting the good and bad in 'eremia' – the ultimate space of loss and neglect – going through failures and success in realization of God's will, and searching for answers beyond death. This study examines the Attic vase paintings of Orpheus reproduced in 5th century BC, in particular relation to the themes as like Argonauts, music, death, oracle and afterlife. The study ultimately investigates the ancient typology of Orpheus images which heavily influenced early Christian art.

광야의 이미지와 역할:
15-16세기 초 이탈리아 중북부 회화를 중심으로

이지연(한국예술종합학교)

I. 서론

　어원적으로 보았을 때, 광야(desert 또는 wilderness)는 히브리어로 '말씀'을 뜻하는 '미드바르(midbar)' 혹은 이것의 동사형 '다바르(davar)'를 지칭한다.[1] 탈출기를 보면 모세가 우선 혼자서, 그 다음으로는 그가 자신의 모든 이스라엘 백성과 함께 여호와를 만나러 시나이 광야로 향했으며, 그곳에서 신의 말씀을 들었다고 전해지고 있다(탈출 19: 125). 그러나 이스라엘 백성들이 이 메마르고 그늘진 불모의 사막에서 하나님의 보호와 은총을 체험하기 위해서는 시험과 시련을 겪어야 했다(탈출 15: 22-26, 16,32).[2] 이렇듯 성서에서 말하는 광야는 육체적 욕망과 기독교적 도덕규범 사이의 대

---

1) Bruno Etienne, "Ecritures saintes, désert, monothéisme et imaginaire," *Revue de l' Occident musulman et de la Méditérranée* 37:1 (1984): 136.
2) 알렉산드리아의 유대인 철학자 필론(Philon, B.C. 29-A.D. 54)은 광야라는 성서적

립이 일어나는 장소로서 인간의 구원의 역사를 반영하는 상징적 의미를 담고 있으며, 이는 예표론(豫表論)적 관점에서도 설명될 수 있다. 즉 이스라엘 백성들의 40년간의 광야 생활이 예수가 세례를 받은 후 40일 동안의 고행의 전조가 되는 것과 마찬가지로, 에덴동산에서의 아담의 유혹은 유대광야에서 예수가 받은 사탄의 유혹(마르코, 1:12, 마태 4: 1-11, 누가 4: 13)의 예시가 되는 것이다.

광야에 대한 성서적 개념[3]은 4세기 말 이집트 사막으로 나간 안토니우스(Antonius, 251-356)를 위시한 사막교부들(Desert Fathers)[4]의 금언들에 깊은 영향을 주었다. 은수생활(eremitic life)에 대한 소명이 복음에 명시되어 있지는 않지만, 그것은 예수가 광야에서 겪은 금욕과 유혹 그리고 고행의 과정을 모방하는 것으로 "그분의 가르침을 온전히 실현하기 위한 하나의 특권적 여정으로 나타난다"는 점에서 그 의의를 찾을 수 있다.[5] 초기 기독교 시대부터 광야는 이집트 은수자들(hermits)[6] — 사막교부들의 추종자와 제자들 — 에게 '내적 고요(hesychia)'에 이르는 가장 적합한 장소이자 하나님의 대적인 사탄(Satan), 즉 유혹과 저주가 항상 기다리고 있는 곳으로 여겨진 것이다. 이에 대해 기독교 변증가 유스티누스(Justinus, 100-165)는 악마는 그리스도를 유혹하긴 했지만 끝내 그를 타락시키지 못했기에 마왕(Evil one)은 이제 기독교 공동체를 겨냥한다고 말하기도 했다.[7] 미술사적 맥락에서 중세와 르네상스 화가들은 무엇보다

테마를 폭넓게 다루었는데, 그의 저서 『데칼로그 De Decalogo』에서 야훼가 백성들을 광야로 인도해 율법을 전달한 이유를 이들이 도시의 타락 특히 도덕적 타락과 인체에 해로운 대기 오염으로부터 벗어나길 원했기 때문이라고 설명하고 있다. Philon d'Alexandrie, *De Decalogo*, ed. Valentin Nikiprowetzky (Paris: Cerf, 1976), 38-49.

3) Antoine Guillaumont, "La conception du désert chez les moines d'Egypte," *Revue de l'histoire des religions* 188:1(1975): 3-21

4) '사막교부들'은 3-5세기에 이집트 사막에서 성덕(聖德)으로 두각을 나타낸 수도사들을 뜻하며, 많은 추종자와 제자들이 그들을 사부로 여기고 주위로 몰려들었다. 뤼시앵 레뇨, 『사막교부, 이렇게 살았다』, 허성석 옮김 (분도출판사, 2006), 16-17.

5) 뤼시앵 레뇨, 『사막교부, 이렇게 살았다』, 31.

6) '은수자(hermit)'라는 단어는 히브리어 '미드바르'에 해당하는 그리스어 'ermos'에서 기인한다. Etienne, "Ecritures saintes, désert, monothéisme et imaginaire," 136.

7) 제프리 버튼 러셀, 『악마의 문화사』, 최은석 옮김 (황금가지, 1999), 95.

광야라는 배경을 자연과 성(聖) 사이의 직접적인 연관성이 극대화된 장소 — 성서에서 언급된 유대광야(Judean Desert) 또는 초기 기독교 시대의 은수자들이 거주했던 나일강 인근의 사막 — 로 구현한 듯 보인다. 사실 그들은 한편으로 서방의 지리적 조건 — 숲이 우거진 산 — 에 맞게 변형을 가하거나,[8] 다른 한편으로 시간적인 간격을 두고 서로 다른 장소에서 일어난 '사건'들의 시각적 조합의 시도로 새로운 광야 이미지를 형성하기도 했다.

이에 본 연구는 초기 기독교 시대의 금욕생활의 요람인 광야가 14-15세기 토스카나 화가들에게 '상징적' 표상이 되었을 개연성에 주목하고, 서사적 실재가 재구성되는 과정을 안토니우스의 광야여정과 그를 따르는 은수자들의 '공동체적' 삶과 연관 지어 해석해본다. 이어서 15세기 후반부터 광야를 배경으로 성인의 고행에 초점을 맞춘 개인 예배용 소형화가 본격적으로 제작된 상황을 종교적 문맥에서 이해하고, 그 안에 표현된 광야가 물리적인 장소를 넘어 참회자(penitent)의 고행과 자기 정화 그리고 구원의 욕망이 투사된 기억의 장소로서 작용할 수 있을 것인지 베네치아 출신의 화가 로렌초 로토(Lorenzo Lotto, 1480-1556)의 '성 제롬의 고행'을 중심으로 가늠해본다.

II. 지리적 토포스: 성 안토니우스의 광야여정

기독교적 관점에서 유혹(temptation)은 "종교적, 도덕적 규율을 어기는 것과 관계되며 욕망을 일깨우면서 죄와 악으로 부추기는 일시적 충동"을 가리킨다. 아담과 이브가 유혹에 굴복한 후 예수를 포함한 지상의 모든 존재는 그것을 피할 수 없었다.[9] 유혹은 세속적 욕망이라는 강박관념으로부터 자유롭지 못한 상태에서 일어나지만, 광

---

8) Christine Lapostolle, "Ordres du désert et l'aire du désordre," *Médievales* 2:4(1983): 37.

9) Simon Legasse, Paul Lamarche, Guerric Couilleau, André Derville et André, Godin, "Tentation", *Dictionnaire de spiritualité ascétique et mystique*, t. XV (Paris: 1991), 193-251.

야에서 세상과의 단절이 유혹의 고갈을 의미하는 것은 아니다. 실제로 악령은 위대한 사막교부들을 더 자주 공격을 했다고 전해지고 있다. 그들 중 가장 포악하게 다뤄진 사람은 은수생활의 창시자이자 모든 수도사들의 아버지라고 불리는 안토니우스이다.[10] 그는 이집트 출신으로 상 이집트 테베(Thebes)의 사막으로 들어가 은둔 생활을 한 것으로 알려져 있다. 주교 아타나시우스(Athanasius, 296-373)가 성인이 죽고 얼마 되지 않아 출간한 『성 안토니우스의 생애 Life of St. Anthony』[11]는 문학으로 분류되지만, 꽤 신빙성이 있다고 여겨진다. 저자는 광야에서 사탄과 투쟁하는 안토니우스의 모습에 초점을 맞추면서 안토니우스가 광야에 정착한 이유가 악마의 유혹에 저항하기 위해서라고 기술하고, 안토니우스의 고행단계를 다음과 같이 묘사했다: "안토니우스가 속세를 떠나는 순간부터 악마는 그를 유혹하기 위해 이전 삶의 기억을 되살아나게 한다. 곧이어 안토니우스에게 불순한 생각이 움트고, 악마는 마침내 그와 정면으로 싸운다. 안토니우스는 패배하고 죽음에 직면한다."[12] 안토니우스의 유혹과 시련의 과정은 곧 자아와의 싸움이며 신의 은총을 받기 위해 거친 가장 이상적 여정으로 해석된다. 이것은 성인전(hagiology)과 『황금전설 The Golden Legend』에서도 다양한 개별적 영성으로 나타나고 있다.

미술사적 맥락에서도, 위기와 시험, 유혹 그리고 은총으로 특징지어지는 안토니

---

10) 성 제롬은 376년에 쓴 짧은 전기 『최초의 은수자 파울루스의 생애 Vita Pauli primi eremitae』에서 테바이드 최초의 은수자가 성 파울루스(Paulus of Thebes, 229-342)라고 기술하고 있다. 그럼에도 불구하고 안토니우스가 은수생활의 창시자로 간주되는 이유는 이 생활에 있어 그의 영향이 가장 컸기 때문이다.

11) 아타나시우스, 『성 안토니의 생애』, 엄선옥 옮김 (은성출판사, 2009). 이 전기로 안토니우스는 사후 유명해졌으며, 많은 은둔자들이 3세기 후반부터 그를 본보기로 삼아 광야에서 수도생활을 하기 시작했다. 안토니우스의 생애에 대해서는 다음 책도 참조. 보라기네의 야코부스, 『황금전설』, 윤기향 옮김 (크리스찬 다이제스트, 2007), 160-165.

12) 안토니우스의 유혹의 각 단계는 초기 기독교 교부 오리게네스(Origenes, c. 185-254)가 밝힌 악마가 인간을 공격하는 과정을 상기시킨다. 이에 대해 다음 책 참조. Origeniana nona: Origen and the religious practice of his time, papers of the 9th International Origen Congress, Pecs, Hungary, 29 August - 2 September 2005, eds. G. Heidl and R. Somos (Leuven-Paris-Walpole, MA: 2009), 600

우스의 생애는 그 '영웅적인' 성격 때문에 관객의 도덕적 교화를 끌어내기에 적합한 '서사시적' 소재가 되었다. 서방에서는 중세 후기에 가서야 안토니우스가 인기있는 성인이 되었는데, 안토니우스회(Antomians)와 같은 성인의 가호아래 11세기에 설립된 자선 수도회의 번영은 당시 사회적으로 중요한 일이었기 때문이다.[13] 이러한 문맥에서 중세와 르네상스의 화가들은 안토니우스가 은수자 파울루스의 암자(hermitage)를 방문했다는 전설과 황량한 광야에서 악마와 싸운 에피소드 등을 화면에 담았다.[14] 가령 버나드 베른슨(Bernard Berenson)에 의해 "가장 매혹적인 이야기꾼(storyteller)"[15]이라고 불린 시에나 화가 사세타(Sassetta, c. 1395-1450) 또는 그의 제자 오세르반차의 마스터(Master of the Osservanza active, c. 1430-1450)는 여덟 개의 패널들로 이루어진 연작 '성 안토니우스 생애'[16]를 제작했다. 각 패널은 아타나시우스의 전기가 아닌 14세기의 탁발 수도사인 도메니코 카발카(Domenico Cavalca, c. 1270-1342)의 『교부들의 생애 Vite dei santi padri』(c. 1330)를 바탕으로 그려졌다.[17] 이 연작 중에서 세 개의 패널은 다름 아닌 이집트 사막풍경을 배경으로 유혹과 공격에 노출된 안토니우스의 모습을 묘사하고 있다: 뉴욕 메트로폴리탄 미술관에 소장된 〈금 유혹을 받는 성 안토니우스 St Anthony Tempted by Gold〉(도 1)와 예일대학 박물관의 두 패널 〈여성의 모습으로 나타난 악마에 의한 안토니우스의 유혹 Temptation of Saint Anthony by a Demon in the Form of a Woman〉, 〈마귀에게 공격받는 성 안토니우스 Saint Anthony tormented by Demons〉(도 2-3).[18] 이 세 개의

---

13) André Chastel, *Fables, formes, figures*, vol 1 (Paris: Flammarion, 1978), 137.

14) 아타나시우스, 『성 안토니의 생애』, 44.

15) Ellis K. Waterhouse, "Sassetta and the Legend of St. Antony Abbot," *The Burlington Magazine for Connoisseurs* 59:342 (Sep., 1931): 108.

16) 각 패널의 주제, 출처, 소장장소, 제작연도 등에 대해 다음 논문 참조. Waterhouse, "Sassetta and the Legend of St. Antony Abbot," 108-113.

17) Keith Christiansen, Laurence B. Kanter, and Carl Brandon Strehlke, *Painting in Renaissance Siena*: 1420-1500 (New York: Metropolitan Museum of Art, 1989), 104.

18) 이 작품들의 세부정보와 복원 문제에 대해서는 다음 논문 참조. Charles Seymour Jr., "The Jarves 'Sassettas' and the St. Anthony Altarpiece," *The Journal of the Walters Art Gallery 15/16* (1952/1953): 30-45

(도 1) 사세타, 〈금 유혹을 받는 안토니우스〉, c. 1440,
패널에 템페라와 금, 48×35cm, 메트로폴리탄 미술관

패널 속에는 안토니우스가 고독 속으로 새롭게 나아갈 때마다 더욱 강렬해지는 악령들의 공격이 전개된다. 이들은 성인을 환영이나 유혹에 빠지게 하기위해 속임수를 쓰거나 두려움의 대상으로 직접 나타나 그를 공격하는 것이다.

〈은자 파울루스를 방문한 안토니우스 Meeting of Anthony with Paul〉는 패널들 중 가장 최근에 일반에게 공개된 귀족 앨런데일(Allendale)의 소장품이다. 이 마지막 패널에서 안토니우스의 모습은 세 번 반복해서 표현되었다(도 4): 안토니우스는 홍해 방면에 은거하던 성 파울루스를 찾으러 나선 도중에 켄타우로스(Centaur)를 만나 길을 인도받고, 그를 만나 동굴 앞에서 서로 포용한다. 이들이 만들어 내는 삼각형 윤곽은, 자연이 이 만남에 공감하기라도 하듯, 움푹 파인 동굴과 화면의 맨 위 부분의 작은 언덕에 다시 반향 한다.[19] 사세타는 대부분의 15세기 전반기의 시에나 화가들처럼 최근에 발견된 원근법 법칙을 알고 있었지만, 시간적으로 다른 세 일화를 한 공간 속에 동시적으로 집약해 놓았다.[20] 더욱이 안토니우스의 생애를 일련의 연속적 단계로 제시한 이 연작은 랭부르 형제(Frères de Limbourg)가 '베리공의 지극

19) Waterhouse, "Sassetta and the Legend of St. Antony Abbot," 113
20) 레온 바티스타 알베르티(Leon Battista Alberti, 1404-1472)가 『회화론 De pictura』 (1435)에서 정립한 원근법적 공간체계가 15세기 후반에 정착됨에 따라 당대 화가들은 '안토니우스의 삶의 여정'을 그리는데 더 이상 관심을 갖지 않은 것을 주목해 보면 흥미롭다. 화면의 통일성에 기반을 둔 구성에 여러 에피소드를 병렬하는 방식은 적합하지 않았기 때문이다. Lapostolle, "Ordres du désert et l'aire du désordre," 59-60.

(도 2) 사세타, 〈여성의 모습으로 나타난 악마에 의한
안토니우스의 유혹〉, c. 1435, 예일 대학 박물관

(도 3) 사세타, 〈마귀에게 공격받는 성
안토니우스〉, c. 1440, 예일 대학미술관

히 호화로운 기도서 Les Très Riches Heures du duc de Berry'(1405-1408/9)에서 다
룬 '안토니우스의 생애'에 관한 여덟 개의 채색 삽화를 상기시키기에 충분하다. 그
중에서 〈켄타우로스에 의해 길을 인도받는 성 안토니우스 Saint Anthony Receives
Directions from a Centaur〉를 살펴보면, 화면의 거의 맨 위 부분까지 뻗어 있는 땅
위로 나무, 산봉우리, 동물 등 광야를 특징짓는 내용물들의 나열이 논리적 배열보다
우선시 되고 있다(도 5).[21]

---

21) 엔조 카를리(Enzo Carli)는 랭부르 형제와 자크마르 드 에스댕(Jacquemart de
Hesdin, c. 1355-c. 1414)은 시에나를 방문한 것은 사실이지만, 시에나 화가들이 그
들의 필사본을 직접 보았다고 단정하기 어렵다고 판단했다. 오히려 프랑코 플랑드르
(Franco-Flemish)의 사본 장식가들이 시에나 화가들의 영향을 받은 것을 더 설득력
있는 해석으로 보았다. 도상적 관점에서 볼 때, 사세타와 오세르반차의 마스터는 현
재 피렌체의 우피치 미술관에 소장되어 있는 젠틸레 다 파브리아노의 〈동방박사의 경
배 Adoration of the Magi〉(1423)를 비롯한 시에나 화가들의 작품들을 참조했을 것
이다(도 6). Enzo Carli, *Sassetta e il Maestro dell'Osservanza* (Milano, Giunti-
Martello 1957), 42-44, quoted in Christiansen, Kanter, and Strehlke, *Painting in*

(도 4) 사세타 또는 오세르반차의 마스터,
〈은자 파울루스를 방문한 안토니우스〉, 1445,
패널, 47.5×34.5cm, 워싱턴 내셔널 갤러리

(도 5) 랭부르 형제,
〈켄타우로스에 의해 길을 인도받는 성 안토니우스〉,
'베리공의 지극히 호화로운 기도서'의 채색 삽화,
1405-1409, 양피지 위에 템페라와 금박,
23.8×16.8cm, 메트로폴리탄 미술관

　　사세타는 중세 필사본의 기본 구성을 따르면서 깊이보다는 조감하듯이 공간을
펼쳐놓았다. 그러나 구성은 분산되지 않으며, 낮은 산언덕들의 능선을 따라 지그재
그로 이어지는 자갈길은 길의 방향을 안내하며 여정의 의미를 함축적으로 담아내
고 있는 듯하다. 이 길을 따라 일렬로 늘어선 촘촘한 종려나무들을 보더라도 재현된
광야의 모습은 성 파울루스가 실제로 거처했던 황량한 산악지대와는 차이가 있음
을 보여준다. 성 제롬(Jerome, 347-420)은 『최초의 은수자 파울루스의 생애』에서 파
울루스가 로마 황제 데키우스(Decius Valerianus, 249-251)의 기독교 박해를 피해서 도
피한 사막을 '매혹적으로' 묘사했다. 이 곳에는 "동굴의 입구에 서 있는 오래된 종

Renaissance Siena: 1420-1500, 120.

려나무 한 그루가 그늘을 만들어주며, 갈증을 해소해주는 샘이 가까이 있다." 사실 제롬의 전기는 역사적 신빙성이 좀 떨어지지만, 그가 묘사한 광야의 이미지는 수세기에 걸쳐 문학작품들을 통해 전파되거나 화가들에 의해 꾸준히 재생산되었다.[22] 그 예로 사세타와 함께 15세기 시에나 화파를 이끌었던 조반니 디 파올로(Giovanni di Paolo, 1395-1482)의 〈광야로 떠나는 세례자 요한 Saint John the Baptist retiring to the Desert〉(1454)을 들 수 있다(도 7).[23] 양식적인 관점에서 보면 암석들로 즐비한 메마른 산악지대, 즉 가도 가도 끝이 없을 것처럼 겹겹이 이어지는 울퉁불퉁한 바위산은 비잔틴 모자이크에서 자주 보이는 기이한 암벽 도상을 상징적으로 차용한 것임을 알 수 있다.[24] 그러나 유대광야의 험준한 지형 속 듬성듬성 그늘을 지우는 나무들에서 보

(도 6) 젠틸레 다 파브리아노,
〈동방박사의 경배〉, 1423, 패널에 템페라,
303 x 282cm, 우피치 미술관

(도 7) 조반니 디 파올로,
〈광야로 떠나는 세례자 요한〉, 1454, 패널에 템페라,
30.5 × 49cm. 런던 내셔널 갤러리

22) 초기 기독교 시대에 이집트 수도사들은 파울루스보다 좀 더 '현실적인' 사막에서 살았다고 전해진다. 그들에게 사막은 필론에 의해 재해석된 성경과 그리스 철학으로 양육된 현자들이 집필한 것과는 또 다른 것이었다. Guillaumont, "La conception du désert chez les moines d'Egypte," 10-11.

23) 이 그림은 시에나의 산타고스티노(Sant'Agostino) 교회를 위해 그려진 제단화 중앙의 〈마돈나와 성인들 Madonna and Saints〉 아래 네 점의 프레델라(predella) 패널들 중 하나이다.

24) 이 도상은 '테바이드(Thebaid)'를 주제로 한 비잔틴 필사본의 채색 삽화나 모자이크 등에서도 등장한 소재로 15세기 초 피렌체 회화에서 매우 '흥미로운' 방식으로 차용되었다. 본고의 다음 장에서도 다루게 될 '테바이드'와 관련된 설명으로 다음 책 참조.

듯, 이 두 사례는 '이상'과 '실제'의 결합이 '르네상스식' 광야의 이미지를 표상하는 형식임을 잘 보여준다(도 4,7).

실제로 이집트는 나일강변이 사막과 분명한 대조를 이루고 있는 곳이다. 이 지형에 친숙했던 이집트인들에게 사막은 종교적이고 신화적인 성격을 띤다는 점에서 옛 셈족이 내세운 관념과 성경에 나타난 그것과도 밀접하게 닮아있다. 파라오 시대부터 비옥한 땅 '케메트(Kemet, 검은 땅)'는 생명의 신 오시리스(Osiris)와 그의 아들 호루스(Horus)가 다스려왔다. 반면 '데세레트(Deshret, 붉은 땅)'는 적대적인 악신 셋(Seth)의 지배를 받아온 불모의 사막으로 무덤의 장소 즉 죽음이 지배하는 곳이었다. 여기에 사는 위험한 동물들은 마귀들과 악령들이 되므로 기독교로 개종한 이집트인들은 두려움과 위험을 경험했다.[25] 그렇다면 『성 안토니우스의 생애』는 이집트인이 직접 체험한 사막을 악마들의 '주거지'로 해석하고 있다는 점에서 금욕적 삶을 악마들에 대항한 투쟁으로 이해하는데 중요한 전거가 된다.[26] 여기서 악마가 성인을 공격하는 이야기는 "개인적 체험에 근거"한 것으로,[27] 가령 안토니우스와 그로테스크한 원수 마귀(Devil)의 결투 장면은 생생히 기술되어 있다.

그러나 이 접전이 그림으로 옮겨졌을 때는 신중함이 좀 더 요구되었다. 15-16세기의 성인들에 대한 각별한 공경은 동시대 기독교 미술에서도 잘 드러나는데, 신자들에게 본보기가 되는 장면들이 주로 그 재현대상이 되었기 때문이다. 이러한 문맥에서 안토니우스와 누르시아의 베네딕토(Benedict of Nursia, 480-543)의 경우 등을 제외하고는 성인들이 공격 받는 치욕스런 순간은 드물게 묘사된 것이 사실이다. 악마의 유혹에 굴복한 성인의 나약한 모습은 자칫하면 예술의 교화적 목적에서 벗어난 것처럼 보일 수 있

Kenneth Clark, *L'Art du paysage*, trans. André Ferrier and Françoise Falcou (Paris: Rene Julliard, 1962), 20-21.

25) Guillaumont, "La conception du désert chez les moines d'Egypte," 11-12.

26) Guillaumont, "La conception du désert chez les moines d'Egypte," 12.

27) 성 안토니우스가 전한 악령과의 대결 이야기는 루이 부이에(Louis Bouyer)가 강조했듯이 "『성 안토니우스의 생애』나 이와 유사한 텍스트들에 민간전승의 요소가 많음을 뜻한다. 그러나 이는 악령의 현존에 깊은 그리스도교적 의미를 부여하기도 한다." Louis Bouyer, *La Vie de Saint Antoine* (Bellefontaine, 1978), 73, quoted in 뤼시앵 레뇨, 『사막교부, 이렇게 살았다』, 262.

었다. 안토니우스를 위시한 성인들이 마귀의 유혹을 받거나 그에게 포위된 채 집중 공격을 받는 모습을 다양하고 독창적인 방식으로 제시한 이들은 사실 북유럽 화가들이다.[28] 그들은 한편으로는 자유로운 상상력을 바탕으로 마귀의 기괴하고 환상적인 면을 의도적으로 강조하고, 다른 한편으로는 엄격한 사실주의 전통에 따라 흉측한 외양을 세밀하게 표현한 것이다. 그 대표적인 예로 부다페스트 미술관에 소장된 마르틴 숀 가우어(Martin Schongauer, 1445-1491)의 〈성 안토니우스의 유혹 Temptation of St Anthony〉(도 8)[29]을 들 수 있으며, 이를 계기로 유럽 르네상스 화가들의 악마 도상에 대한 연구는 본격적으로 이루어졌다고 할 수 있다.[30]

(도 8) 마르틴 숀 가우어, 〈성 안토니우스의 유혹〉, 1485-1491, 에칭, 31.4×23.1cm, 부다페스트 미술관

그런데 숀 가우어가 묘사한 마귀가 사악한 기형동물에 가깝다면, 이탈리아 화가들의 그것은 인간의 형체를 띠고 있다. 가령 피렌체 화가 체니 디 프란체스코(Cenni di Francesco, 1369/1370-1415)의 〈성 안토니우스의 유혹 The temptation of Saint Anthony〉[31]

28) Martine Vasselin, "La figuration des tentations des saints dans la peinture à l'époque moderne," *Rives nord-méditerranéennes* 22 (2005): 15.

29) 성인과 악마가 공중에 떠 있는 것을 감안할 때 이 장면은 아타나시우스의 『성 안토니우스의 생애』의 65장을 묘사한 것으로 추측된다. 여기서 아타나시우스는 에베소서(6:13)를 인용하면서 안토니우스가 어떻게 공중에 악마와 투쟁했는지 설명하고 있다.

30) Chastel, *Fables, formes, figures*, 142.

31) 이 그림은 현재 게티 미술관에 소장된 〈성모대관과 성인들 Coronation of the Virgin and Saints〉을 중심으로 한 다 폭 제단화의 프레델라의 한 부분을 차지하고 있다. Carl Brandon Strehlke, "Cenni di Francesco, the Gianfigliazzi, and the Church of Santa Trinita in Florence," *The J. Paul Getty Museum Journal* 20 (1992): 11-40.

을 보면, 일곱 마귀들은 각각 일곱 가지 대죄(大罪)를 상징하듯 가지각색이다(도 9). 이들은 두 개의 뿔과 갈퀴발 그리고 꼬리 등 비인간적인 속성[32]을 가지고 있지만, 인체를 그 기본 골조로 하며 두 발로 서 있는 모습이 앞서 살펴본 사세타의 〈마귀에게 공격받는 성 안토니우스〉(도 3)에서처럼 다소 '천진난만'하고 투박하게 표현되었다. 이와 마찬가지로 15세기 후반 북부 이탈리아 화가 베르나르도 파렌티노(Bernardo Parentino, c. 1450-c. 1500)가 그린 〈성 안토니우스의 유혹 The temptation of Saint Anthony〉은 고전시대 인체의 특징을 차용했다는 점에서 더욱 흥미로운 사례로 볼 수 있다(도 10).[33] 그로테스크한

(도 9) 체니 디 프란체스코,
〈성 안토니우스의 유혹〉,
c. 1390, 패널에 템페라, 게티 미술관

(도 10) 베르나르도 파렌티노,
〈성 안토니우스의 유혹〉,
15세기 후반, 도리아 팜필리 미술관

32) 보라기네는 『황금전설』에서 마귀가 성인을 공격하는 여느 짐승들처럼 뿔, 발톱 그리고 이빨을 가지고 있었다고 기록하고 있다.

33) 파렌티노는 주로 파도바에서 활동했으며, 안드레아 만테냐(Andrea Mantegna, 1431-1506)의 제자는 아니었지만, 그의 영향을 많이 받은 것으로 알려져 있다. 15세기 가장 영향력 있는 판화 중 하나였던 만테냐의 〈바다신들의 전투 Battle of the Sea Gods〉(1481년 전)는 파렌티노가 표현한 인체를 해석하는 데 중요한 단서를 제공한다(도 11). 사실 인간의 질투(envy)라는 파괴적 힘을 알레고리로 해석한 만테냐의 작품에서 역동적인 누드 처리는 가깝게는 잘 알려진 안토니오 델 폴라이우올로(Antonio del Pollaiuolo, 1431?-1498)의 〈싸우는 남자 누드들 The Battle of the Nudes〉(1465-1475)에서 멀게는 고대 석관에서 차용한 듯 보인다. 이에 대한 심도 있는 연구로는 다음 책 참조. *Mantegna 1431-1506*, sous la direction de Giovanni Agosti et Dominique Thiébaut (Paris: Hazan, 2008), 273-276.

(도 11) 안드레아 만테냐, 〈해신들의 전투〉, 1485‑1488, 동판화, 28,3×82,6cm, 채츠워스 데본셔 컬렉션

얼굴을 가진 마귀들의 몸은 살갗이 벗겨진 것처럼 보이며 해부학적 관찰을 토대로 한 것처럼 뼈와 근육이 촘촘하게 짜여 있다. 그러나 이들이 구현하고 있는 것이 희화화된 악마적 힘이라면, 화가는 인간의 내재된 잔인성을 표출하려는 것일까, 아니면 성인의 영웅적 힘 혹은 순교적 삶[34]을 강조하기 위한 것일까.

한편, 엄격한 은수자 앞에 펼쳐졌을 거룩한 광야의 공간은 이제 그를 조여 오는 마귀들의 압박에 닫혀있는 듯 보인다.[35] 그러나 안토니우스의 시선은 화면 중앙의 동굴 속 십자고상이 내뿜는 빛을 향해 있다. 이것은 광야가 앙구스티아(angustia) 즉 번민의 장소인 동시에 하늘로 가는 구원의 통로임을 명시할 뿐 아니라, 육체적 나약함이 하느님의 도움으로 영적인 대담함으로 바뀔 것임을 상기시켜주고 있다:

나 안토니우스가 여기 있다. 나는 너의 공격을 피해 도망치지 않는다. 네가 나를 더 때리고 공격한다 해도, 아무것도 나를 그리스도의 사랑에서 끊지 못할 것이다(롬 8:35) …… 이러한 상황에서 주님은 유혹과 맞서 싸우는 안토니우스를 잊지 않고 도우러 오셨다. 안토니우스가

---

34) 초기 기독교 시대부터 순교(martyrdom)는 성스러움에 다가가기 위한 한 방법이었으며, 이것은 그 당시 은둔 생활의 발전과 무관하지 않다. 이에 대해 다음 책 참조. Jean‑Pierre Moisset, *Histoire du Catholicisme* (Paris: Flammarion, 2006).
35) Lapostolle, "Ordres du désert et l'aire du désordre," 60.

위를 쳐다보니 지붕이 열리고 한 줄기 빛이 그를 향해 내려오는 것 같았다 …… [36]

하나님에 대한 성인의 참된 신심이 악마의 공격을 이겨낼 수 있는 최후의 수단이라면, 악령의 현존은 성인의 '업적'을 예찬하는 것을 넘어 신의 은총에 의한 인간의 구원의 의미를 깨닫게 한다는 데 그 의의가 있다.

III. 기억의 토포스

1. 테바이드

초창기 이집트 수도사들은 나일 강가 테바이드의 사막구릉 지대에서 은수생활을 하였다. 사실 테바이드는 서기 3세기경 번영을 누렸던 고대 이집트 테베(Thebes) 주변의 지방을 가리키며, 이 시기에 확산된 은둔이라는 새로운 생활방식의 출현과도 연관되어 있는 곳이다. 바로 이러한 의미에서 프랑스어 사전 『르 프티 로베르 Le petit Robert』에서는 테바이드(Thébaide)에 대해 이집트 지방을 가리키는 것 이외에 "황량한 은둔지"로 정의하고 있다. 앞서 보았듯이, 사막교부들의 삶을 다룬 작품들은 서방에서도 큰 성과를 거두었다. 아타나시우스의 『성 안토니우스의 생애』와 함께 파울루스와 힐라리온(Hilarion, 291-371)의 삶에 대해 저술한 성 제롬의 작품[37]은 두 인물에 대중성을 부여했을 뿐 아니라, 14세기 초부터 서방으로 옮겨져 '테바이드'에 관한 도상이 확산되는데 많은 영향을 미쳤다. 그 중 가장 잘 알려진 예는 14세기 초 피사 캄포산토(Camposanto) 예배당의 한쪽 벽에 그려진 부오나미코 부팔마코(Buonamico Buffalmacco, active c. 1315-1336)의 〈테바이드 Thebaid〉이다(도 12).[38] 그

---

36) 아타나시우스, 『성 안토니의 생애』, 67, 69.

37) Jerome (saint), *Vie de Paul de Thèbes et vie d'Hilarion*, trans. P. de Labriolle (Paris: Bloud et Gay, 1907).

38) 〈최후의 심판 Last Judgment〉을 중심으로 〈테바이드〉와 〈죽음의 승리 Triumph of Death〉는 마치 세 폭 제단화의 양 날개처럼 마주보며 나머지 두 벽면을 차지하고 있

후 15세기 중반 경까지 시에나와 피렌체 그리고 움브리아에서 활약한 중부 이탈리아 화가들은 이 프레스코화를 바탕으로 대체로 3-4세기의 시리아와 이집트의 광야를 배경으로 이천 명까지도 집결시킬 수 있는 은수자 공동체를 재현하였다.[39]

(도 12) 부오나미코 부팔마코, 〈테바이드〉,
14세기 초, 프레스코, 피사, 캄포산토

부팔마코의 〈테바이드〉에 묘사된 수도사들은 계단식 지형으로 이루어진 가파른 암벽에 형성되어있는 자연동굴 속에 은신처를 마련하거나 손수 암자를 만들어 정착한 듯 보인다. 어떤 이들은 독서를 하거나 십자가를 앞에 두고 명상을 하고 있고, 또 다른 이들은 수공업을 하고 있다.[40] 성 제롬의 '계몽적 소설'[41]을 기반으로 한 내러티브 구성도 눈에 띄는데, 오른 쪽 상부에 있는 성 힐라리온은 당나귀를 타고 용과 대적하고 있으며, 왼쪽에는 성 파울루스와 성 안토니우스의 만남이 묘사되어 있다. 한편 중경의 동굴 앞에

다. Daniel Russo, "Le corps des saints ermites en Italie centrale aux XIVe et XVe s.: étude d'iconographie," *Médiévales* 4:8(1985): 57-58.

39) J. Cl. Guy, *Paroles des anciens. Apophitegmes des Pères du désert* (Paris, 1976), Introduction quoted in Russo, "Le corps des saints ermites en Italie centrale aux XIVe et XVe s.," 57

40) 이 그림의 내용과 도상에 대해서는 다음을 참조. Russo, "Le corps des saints ermites en Italie centrale aux XIVe et XVe s.," 57-61.

41) 성 파울루스와 성 힐라리온의 삶에 대해 저술한 성 제롬의 작품들은 피사의 산타 카타리나 도미니코 수도원에서 카발카의 지도 아래 전사되었다. 캄포산토의 세 벽을 장식하고 있는 프레스코화들은 바로 이 수도원의 보호 아래 고해성사 평신도회가 의뢰한 작품이다. A. Caleca, G. Nencini et G. Piancastelli, *Pisa. Museo delle Sinopie del Camposanto Monumentale* (Pise: 1979), 55 et s., quoted in Russo, "Le corps des saints ermites en Italie centrale aux XIVe et XVe s.," 59.

서 여인으로 분장한 악마가 한 수도사를 유혹하고 있는 모습은 이것이 은수생활에서 면할 수 없는 절차임을 상기시킨다 (도 13). 이처럼 한 화면에 여러 수도사들이 동시에 등장하고 있기에, 이는 자칫 성 파코미우스(Pachomius, 292-346)가 창립한 공동체의 수도생활 (cenobitism)을 재현한 것처럼 보이기도 한다. 그러나 화가는 각 은수자의 금욕생활을 다룬 이 다양한 일화들을 파편적으로 재조합 하여 구체적인 지리적 배경을 넘어 '보편적인' 광

(도 13) 부오나미코 부팔마코, 〈테바이드〉 세부,
'여인으로 분장한 악마의 유혹'

야 이미지를 구현하려는 시도를 하였을 것이다. 이와 비슷한 방식으로 1420년경 제작된 프라 안젤리코(Fra Angelico, 1395-1455)의 〈테바이드 Thebaid〉는 이러한 가정을 뒷받침해준다(도 14).[42] 이 그림은 크게 두 부분으로 나눠지며, 왼쪽에는 은수자들이

---

42) 프레데릭 안탈(Frederick Antal,1887-1954)은 피렌체 화가 게라르도 스타르니나 (Gherardo Starnina, c. 1360-1413)가 15세기 초 산타 크로체 성당의 제의실을 위해 〈테바이드〉를 제작했다고 주장했다. 그러나 오늘날 프라 안젤리코가 그렸다고 여겨지는 이 작품을 누가 어느 장소를 위해서 주문했는지에 대한 의문은 여전히 남아 있다. Frederick Antal, *Florentine Painting and its Social Background: The Bourgeois Republic before Cosimo de Medici's Advent to Power: XIV and Early XV Centuries*, (New York, 1948), 321; 프라 안젤리코의 〈테바이드〉의 문학적 전거에 대한 심도 있는 연구로는 다음 논문 참조. Alessandra Malquori, "La 'Tebaide' degli Uffizi: Tradizioni letterarie e figurative per l'interpretazione di un tema iconografico," *Tatti Studies in the Italian Renaissance* 9 (2001): 119-137.

(도 14) 프라 안젤리코, 〈테바이드〉, c. 1420, 패널에 템페라, 73.5×208cm. 우피치 미술관

한 성인의 죽음을 애도하려 그 시신으로 모여든 장면을, 오른쪽에는 『교부들의 생애』에서 영향을 받은 일련의 에피소드를 다루고 있다. 그러나 좀 더 자세히 들여다보면, 화가가 명상과 노동 그리고 노년의 수도사들을 도와주기 등 단일화된 공간 속에서 은수자들의 삶의 다양한 일화들을 늘어놓는 방식의 구성을 채택했음을 알 수 있다. 한편 광야는 황량한 벌판이 아닌 푸르고 물이 잘 관개되는 이상적인 풍경으로 표현되어 있다. 완전한 고독을 찾아 사막으로 간 수도사들의 생활은 사실 가혹하게 자연의 힘에 맞서는 영웅적인 싸움이었다고 전해진다.[43] 반면에 프라 안젤리코는 자연과의 조화 속에서 상부상조하는 성인과 수도사 그리고 은수자의 모습을 묘사함으로써 수도원이 설립되기 전에 이미 형성되기 시작한 공동체적 삶의 이상을 보여주려 했을 지도 모른다.

사실 기독교 도상학에서 '테바이드'는 사막교부 시대의 은수자들 집단뿐 아니라 고행과 참회의 삶을 살았던 서방의 성인들까지 포함시키는 좀 더 넓은 의미로 사용되었다. 파올로 우첼로(Paolo Uccello, 1397-1475)가 1460년경에 그린 〈테바이드 Thebaid〉[44]는 현실에서는 양립할 수 없는 일화들의 과감한 조합을 보여주는 좋은 사

---

43) 크리스토퍼 브룩, 『수도원의 탄생』, 이한우 옮김 (청년사, 2005), 124.
44) 우첼로의 〈테바이드〉는 현재 피렌체의 아카데미아 미술관에 소장되어 있으며, 이전에는 피렌체의 산 조르지오 알라 코스타 수도원(Convento di San Giorgio alla Costa)에 있었다.

(도 15) 파올로 우첼로, 〈테바이드〉, 1460,
캔버스에 템페라, 80×109cm, 아카데미아

례로 볼 수 있다(도 15).[45] 우첼로는 소위 "수직적인 위계질서"를 기반으로 역사적으로 서로 다른 시기에 살았던 성인들의 극적인 에피소드를 재구성했다. 왼쪽과 오른쪽 하단에는 각각 시토회 수도사 클레르보의 베르나르(Bernard of Clairvaux, 1090-1153)가 성모 마리아의 출현을 접하고 있는 모습과 프란치스코의 수도사들이 시에나의 성 베르나르디노(Bernardino of Siena, 1380-1444)의 설교를 경청하고 있는 모습이 그려져 있다. 화면의 중앙에 위치한 광야의 한 동굴 속에는 참회의 은둔자였던 성 제롬의 모습이 눈에 띄지만, 화면 구성상 가장 핵심적인 부분은 바로 그 위에 위치한 성 프란치스코(San Francesco d'Assisi, c. 1181-1226)가 하늘과 맞닿은 곳에서 성흔을 받고 있는 장면이다. 이 전체적인 내러티브는 수도원 운동의 역사를 반영할 뿐 아니라 더 나아가 명상과 교화를 위한 '기억의 장소', 즉 테바이드의 옛 구조에 재편성된 영성적 광야를 구현하고 있다.[46]

우첼로의 그림은 형식적인 면에서도 위에서 본 두 〈테바이드〉와는 다소 다르게 고안되었다. 다시 말해 모든 일화의 시각적 접근은 동시적으로 이루어지고 있지만, 공간 구성에 있어서는 큰 차이를 보인다. 자연 경관 속에 수도사들의 움직임은 여전히 작은 실루엣으로 처리되었지만, 건물과 동굴의 축소모형들은 더 이상 장소를 점유하는 인물들에게 맞춰져 있지 않다. 그 대신에 각 "로쿠스(locus)"는 인물을 포

45) 토스카나의 테바이드 전통에 대해서는 다음 논문 참조. Ellen Callmann, "Thebaïd Studies", *Antichità Viva* 4:3(1975): 3-22.

46) Christine Lapostolle, "Temps, lieux et espaces. Quelques images des XIVe et XVe siècles," *Médiévales* 9:18 (1990): 117.

함하는 공간으로 대체되었다.[47] 아무 장식도 없는 회색 빛 암석 덩어리 속에 함몰된 크고 작은 "벌집구멍"에는 깊이의 환영이 만들어지며, 전체적으로는 근접과 원근의 효과가 나타난다. 그런데 역설적이게도 전체공간은 유기적으로 연결되기보다 단편적인 조각들로 이루어져 있어서 다양한 시점을 만들어낸다. 다른 시간과 다른 장소에 속한 설교자와 참회자 모두가 한 장소에서 다른 장소로 이동하는 관객의 시선의 대상이 되며, 이 시각적 이동을 기반으로 통합된 기억의 공간이 재창조되는 것이다. 한편 여느 '테바이드'처럼 이 그림이 본래 수도원에 걸려있었다는 것을 고려해보면, 그 당시의 수도사들은 테바이드를 수도원의 원형(prototype)으로 삼았다고 가정할 수 있다. 소장장소가 이미지의 성격에 영향을 줄 수 있기 때문이다. 그렇다면 환상적 산악지대에 여러 일화들을 집결시킨 '테바이드'는 수도생활의 상징적 배경으로서의 역할을 할 뿐 아니라 '성스러운 기운'으로 점철된 일종의 도덕적 지형도가 아닐까.

2. 성 제롬과 참회의 장소

14세기부터 15세기 전반기 사이에 토스카나 지방에서 제작된 몇몇 '테바이드'에서 살펴보았듯이, 그 안에 묘사된 광야는 그 자체로 일련의 가파른 바위산으로 이루어진 도식화된 파노라마였다. 15세기 후반으로 갈수록 수도원을 중심으로 제작되던 '테바이드'의 수는 현저히 줄었으나, 이와 관련된 주제로 그리스도를 따라 광야에서 은둔을 택한 성자 개인에 초점을 맞춘 작은 규모의 독신화(devout painting)가 유행하기 시작했다. 기독교 전통에서 수도생활이 신을 묵상하는 데 온 시간을 바칠 수 있는 은둔과 반성의 삶을 갖는 것을 목적으로 한다면 이러한 현상은 어쩌면 당연한 귀결이라고 할 수 있다. 특히 15세기 초 토스카나 지방에서 등장한 '광야에서 고행하는 성 제롬'[48]은 15세기 중반부터 알프스를 넘어 북유럽에까지 전파될 만큼 영향력이 있는 주제가 되었다. 13세기 중반부터 발전한 '성 프란치스코의 성흔의 발현'에

---

47) Lapostolle, "Temps, lieux et espaces," 116.

48) 테바이드의 은수자 제롬의 삶과 그의 저서에 대해서는 다음을 참조. Ferdinand Cavallera, *Saint Jérôme: sa vie et son œuvre* (Louvain/Paris: 1922).

서 비롯된 이 도상은 제롬이 384년경 그의 여제자 에우토키움(Eustochium, c. 368-c. 419)에게 쓴 편지에서도 그 전거를 찾을 수 있다.[49] 제롬은 시리아의 칼치스(Chalcis) 사막에서 375년에서 378년까지 금욕생활을 한 것으로 알려져 있다. 중세 후기부터 에우토키움에게 쓴 편지의 한 구절은 『황금전설』을 위시한 성인전에서 자주 언급되었는데, 제롬은 음산하고 견디기 힘든 광야의 험난한 지형 속 자신의 모습을 이렇게 묘사했다:

> 나는 내 거처가 마치 나의 불순한 생각들의 공범인 것처럼 두려워졌다. 그리고는 곧이어 내 자신에 대해 화가 나고 엄격해져서 광야 속으로 더 깊이 들어갔다. 깊은 계곡과 험한 산 그리고 가파른 암벽이 내 눈 앞에 펼쳐졌다. 여기서 나는 기도를 하고 나의 하찮은 육신을 위한 지하가옥을 세웠다.[50]

이 글에서 보듯 제롬이 4년간 광야를 헤맨 것은 자신을 혹독하게 단련시키고 영적인 삶을 추구하기 위해서다. 그는 자신에게 공격을 가해오는 유혹을 억누르기 위해 그의 가슴을 어떻게 쳤는지도 기록하고 있는데, 그의 외적 고행은 '이미타티오 크리스티(Imitatio Christi)', 즉 예수를 따르는 행위와 연관되어있는 것처럼 보인다. 실제로 중세 후기의 화가들은 십자고상(crucifix) 앞에서 묵상하는 칼치스의 은수자를 통해 수난(Passion)을 현실화할 수 있었다.[51] 15세기에 제작된 대다수의 소형 패널에서 제롬이 자색을 띤 사쿠스(saccus) 혹은 페리조니움(perizonium)을 걸친 채 재현된 것은 바로 이러한 이유 때문이다. 즉 전자는 빌라도의 명령에 따라 그리스도가 두른 자

---

49) Didier Martens, "Jeu de rôle et Imitatio Christi: le Saint Jérôme pénitent de Barthel Bruyn du musée de la Chartreuse de Douai," *Revue du nord* 77:311 (1995): 502

50) Saint Jerome, *Lettres*, ed. Jérôme Labourt (Paris: Les Belles Lettres, 1949, I), 117-118, quoted in Nadeije Laneyrie-Dagen, *L'invention du corps. La représentation de l'homme du Moyen Age à la fin du XIXe siecle* (Paris: Flammarion, 2006), 86.

51) Martens, "Jeu de rôle et Imitatio Christi: le Saint Jérôme pénitent de Barthel Bruyn du musée de la Chartreuse de Douai," 502-503

줏빛 망토를, 후자는 죽어가는 그리스도가 십자가 위에서 두른 천 조각을 각각 상기시킨다. 더구나 페리조니움을 걸친 참회자가 돌멩이를 손에 쥐고 가슴을 쳐서 낸 상처는 롱기누스가 찌른 창에 의해 그리스도의 옆구리에 난 그것을 환기시킨다. 신자들은 십자가에 달린 그리스도의 육신을 직접 볼 수

(도 16) 로렌초 모나코, 〈광야 속 성 제롬〉, 1408-1410, 패널에 템페라, 23×36cm. 개인 소장품

없었기 때문에 제롬이라는 "살아있는 거울"을 통해서 내적인 명상을 추구한 것이다.[52] 15세기 초 카말돌리회의 수도사 로렌초 모나코(Lorenzo Monaco, c. 1370-c. 1425)에서 레오나르도 다 빈치(Leonardo da Vinci, 1452-1519)에 이르기까지 15세기 피렌체 화가들은 연이어 〈광야 속 성 제롬 Saint Jerome in the Desert〉을 그렸는데, 이는 피렌체의 독실한 기독교 사회에서 참회하는 성 제롬에 대한 예배가 얼마나 두드러졌는지 부분적으로나마 설명해준다. 이 두 작품 모두 화면의 초점은 제롬의 몸에 맞춰져 있는데, 불모지의 지형 풍경은 그의 앙상한 몸에 공명을 일으키

(도 17) 레오나르도 다빈치, 〈광야 속 성 제롬〉, c. 1480, 패널에 유채, 103×75cm, 바티칸미술관

는 것같이 보인다(도 16-17). 특히 모나코의 그림에서 제롬을 둘러싼 조그만 바위 동

---

52) Daniel Russo, *Saint Jérôme en Italie: Etude d'iconographie et de spiritualité (XIII-XIVe siècles)* (Paris-Rome: La Découverte-Ecole française de Rome, 1987), 214-215.

(도 18) 로렌초 로토, 〈참회하는 성 제롬〉, 1506,
패널에 유화, 48×40cm, 루브르 박물관

굴은 우첼로의 그림에서 곧 나타날 〈테바이드〉의 한 단면처럼 보인다.

이에 비해 베네치아 출신의 화가 로렌초 로토가 그린 〈참회하는 성 제롬 Penitent St Jerome〉[53]을 살펴보면, 거대한 야생의 풍경 속에 '잠긴' 성자는 겹겹이 중첩된 바위산들 틈에서 잘 눈에 띄지 않는다(도 18). 조반니 벨리니(Giovanni Bellini, c. 1430-1516)를 위시한 베네치아 화가들은 풍경을 그림의 주요 모티프로 삼았으며, 앞서 토스카나 화가들이 단순화하거나 이상화했던 것과 달리 좀 더 객관적 시각에서 자연을 생생하게 표현하고자 했다. 그런데 성인이 화면에서 눈에 띄게 축소된 것은 양식적인 측면뿐 아니라 상황적 측면에서도 충분히 고려될 수 있는 사안이다. 이는 특히 16세기 초부터 일부 부유층을 중심으로 변화하기 시작한 신앙의 태도와 관련되는데, 이미 종교개혁 이전부터 사적인 영역에서는 신자가 중재자 없이 직접 그리스도와 대면할 수 있다고 생각하는 경향이 나타난 것이다.[54] 따라서 참회하는 성자를 주제로 한 개인용 묵상화의 경우에도 주인공은 '극적인 클로즈업(the dramatic close-up)'[55]에 의한 구심적 인물이 되는 대신 주위공간

---

53) 현재 루브르 박물관에 소장된 〈참회하는 성 제롬〉(1506)은 트레비조의 주교이자 로토의 후원자 베르나르도 데 로시(Bernardo de Rossi, 1468-1527)가 주문한 것으로 추정된다. 로시가 그의 도서관에 성 제롬의 삶에 관한 많은 책들을 소유하고 있었던 점은 주목할 만하다. Peter Humfrey, *Lorenzo Lotto* (New Haven: Yale University Press, 1997), 12.

54) Russo, "Le corps des saints ermites en Italie centrale aux XIVe et XVe s.," 73.

55) 이 용어는 식스텐 린봄(Sixten Ringbom)에게서 비롯됐지만, 그는 다른 맥락에서 이 표현을 사용했다. 이에 대해 다음 책 참조. Sixten Ringbom, *Icon to narrative:*

광
야

92

으로 밀려나는 경우가 종종 있었다.

로토가 1508년에서 1510년 사이 로마에 머물렀을 때 그린 〈광야 속의 성 제롬 Saint Jerome in the Wilderness〉은 이러한 형식을 극단으로까지 몰고 갔다는 점에서 흥미로운 사례로 볼 수 있다(도 19). 사실 이 그림의 진정한 주인공은 전경에서 차분히 책을 읽고 있는 학자로서의 제롬이 아니라 왼쪽에 솟아있는 가파른 암벽 아래 있는 참회하는 제롬이다. 전자에 비해 매우 작은 크기로 그려진 후자는 십자가에 매달린 그리스도와 꽤 거리를 두고 있으며, 이들 뒤에는 각각 "의인화된" 나무가 바위에 뿌리를 박고 서 있다. 다니엘 아라스

(도 19) 로렌초 로토, 〈광야 속의 성 제롬〉, c. 1509, 패널에 유화, 80.5×61cm, 산탄젤로 국립 박물관

(Daniel Arasse)의 해석대로라면, 여성의 몸과 유사한 이 나무들의 몸통은 악마와 여성들의 환영에 노출된 광야를 암시한다.[56] 은수자가 진정으로 하나님을 알아보려면 반드시 유혹이라는 단계를 거쳐야 하듯, 화면에서 '참회하는 제롬'은 후경으로 밀려나 어렴풋이 보이지만 험준한 바위산 높은 곳에 자리 잡고 있기에 신과는 더욱 가까워졌다고 할 수 있다. 그렇다면 이 '악마적인 풍경'에 등을 돌리고 있는 전경의 제롬에게 그가 거쳐했던 광야는 기억 속에 나타나는 실재의 토포스(topos)이자 내면풍경이 될 뿐 아니라 욕망을 끊어내고 '영적으로' 부활하기 위한 주된 동인(agent)으로 작용할 것이다.

The rise of the dramatic close-up in fifteenth-century devotional painting (Doornspijk: Davaco, 1984)

56) Daniel Arasse, *Le Détail: Pour une histoire rapprochée de la peinture* (Paris: Flammarion, 1996), 365.

(도 20) 로렌초 로토, 〈비첸자의 프라 그레고리오 벨로〉,
1547, 캔버스에 유화, 87×71cm, 메트로폴리탄 미술관

이러한 해석을 바탕으로 로토가 1547년에 완성한 〈비첸자의 프라 그레고리오 벨로 Fra Gregorio Belo of Vicenza〉를 마지막으로 살펴보자 (도 20). 이 초상화의 모델은 다름 아닌 베네치아의 산 세바스티아노(San Sebastiano) 교회에 자리한 성제롬회(Hieronymites)[57]의 구성원이다. 그는 불끈 쥔 오른 주먹으로 자신의 수호성인인 성 제롬의 고행방식을 모방하고 있으며, 왼손으로는 1543년 베네치아에서 출판된 것으로 추정되는 성 그레고리 대제(Saint Gregory the Great)의 『4대 복음서 설교집 Homilies on the Gospels』을 들고 있다. 이처럼 화면의 대부분을 차지하고 있는 그레고리오는 은둔 고행자의 모습으로 신자의 감정이입을 유도하는 보인다. 그림의 왼쪽 상단 구석에 있는 작은 십자가에 못 박힌 예수의 수난도가 바로 그레고리오가 내면의 눈을 통해 본 환영이며, 성 제롬이 광야에서의 고행 중에 늘 함께 한 십자고상을 상기시킨다. 이 그림은 앞서 본 〈참회하는 성 제롬〉(도 18)보다 40여년 후에 제작되었으며, 종교개혁 후 로마 가톨릭 교회가 위기에 처했을 때 그려졌다. 이러한 문맥에서 로토의 종교적 입장[58]을 고려해보면, '가짜

---

57) 성 제롬회는 스페인에서 유래했지만, 이탈리아에도 다양한 수도회를 보유하고 있는 것으로 알려져 있다. Humfrey, *Lorenzo Lotto*, 156.

58) 로토와 그레고리오 사이의 개인적 친분관계 역시 이 초상화의 구성방식을 설명해 주는 단서가 될 수 있다. 사실 산 세바스티아노 교회의 신자들은 16세기 전반기에 걸쳐 비정통적(unorthodox) 종교 개혁의 온상이 되었으며, 마르틴 루터(Martin Luther, 1483-1546)가 옹호한 복음주의와 개인의 내적인 영성 생활에 대해서도 수용적이었다. 그러나 로토의 종교적 입장은 미술사학자들로부터 여전히 논란의 대상이 되고 있다. 이에 대해 다음 책 참조. Massimo Firpo, "Lorenzo Lotto and the Reformation

(pseudo) 제롬'이 '극적인 클로즈업' 효과를 통해 신자에게 직접적으로 호소하는 것은 어쩌면 당연한 귀결이라고 할 수 있겠다. 즉 성인이라는 중재자 없이도 신자는 기도와 명상을 통해서 신과의 직접적이고 개인적인 관계를 맺게 될 것이다.[59] 한편 다소 어둑어둑한 분위기를 지닌 자연적인 배경은 성 제롬이 고취시키고 성제롬회가 수용한 금욕과 명상적인 영성이 반영된 그레고리오의 정신의 영역이다. 바로 이곳에서 시간적, 공간적 차원을 넘어 구원이 믿음을 통해 효력을 발생되는 것이다.

(도 21) 로렌초 로토, 〈참회하는 성 제롬〉, 1546, 캔버스에 유화, 99×90cm, 프라도 미술관

in Venice," in *Heresy, Culture, and Religion in Early Modern Italy: Contexts and Contestations*, eds. Ronald K. Delph, Michelle M. Fontaine, John Jeffries Martin (Kirksville, Missouri: Truman State University Press, 2006), 21-36.

59) 이와 비슷한 시기에 그려진 '참회하는 성 제롬'을 주제로 삼은 소규모의 그림들은 구성에 있어서 전혀 다른 양상을 보여준다. 예를 들어 마드리드의 프라도 미술관에 소장된 〈참회하는 성 제롬〉(1546)은 산티 조반니 에 파올로 성당(Basilica dei Santi Giovanni e Paolo)의 병원장 빈센초 프리지에르(Vincenzo Frizier)가 주문한 것으로 추정된다(도 21). 여기서는 앞서 본 두 그림(도 18-19)의 무성한 풍경 대신 소박함이 암자 전체를 감싸고 있다. 로토는 속죄하는 성 제롬을 대담한 크기로 그려 넣는 동시에 근접효과를 극대화함으로써 성자의 '역할'을 강조했는데, 이는 병원의 개혁적 방안과 일치하며, 시각적 형상을 고려할 때 일종의 정신 수련(Spiritual Exercise)의 의미로도 해석될 수 있겠다. Humfrey, *Lorenzo Lotto*, 153.

IV. 결론

서방에서 초대 사막교부들의 은수생활이 문학적 텍스트의 형태로 유입되기 시작한 것은 12세기이며, 이는 기독교 미술에서 이와 관련된 도상의 출현과도 그 맥을 같이한다. 앞선 사례들에서 보았듯이, 필사본 채색 삽화 또는 제단화의 프레델라 등을 통해 전개되던 일화들이 프레스코와 같이 규모가 큰 그림으로 옮겨지면서 삽화적(揷話的) 구조는 공간 지향의 서사 구조로 변형되었다. 예를 들어 '테바이드'는 그 특정한 지명을 넘어 두루마리처럼 펼쳐진 광활한 광야를 배경으로 재창조된 장소들의 집합체로 표상되었다. 성경에서 광야는 '황량한', '불모의' 등과 같은 수식어가 붙었다면, 그림 속에 투영된 광야 이미지는 푸른 숲과 회색빛의 암벽들이 결합되어 기이하고도 성스러운 분위기를 자아내는 것이다. 한편 광야로 들어간 성인의 고행을 주제로 한 개인용 묵상화의 경우 신자들의 눈에 비친 광야는 단순한 지리적 토포스가 아니라 "가상적(imaginary) 장소"라 할 수 있겠다.[60] 이렇듯 '재현된 광야'의 속성은 그림의 용도에 따라 다르게 해석된 것이 사실이다. 분명한 것은, 악령의 공격을 받은 안토니우스부터 그리스도를 좇아 고행을 택한 제롬에 이르기까지, 이들의 삶의 과정 속에 놓인 광야는 위험과 굴욕 그리고 죽음으로 점철된 실존하는 장소이지만, 후대사람들에게는 그곳에 모여든 사람들의 삶의 방식이 덧대고 덧대어진 시간성이 배제된 공간이라는 점이다. 장소에 대한 기억이 공고하게 다져진 정신적 배경의 틀이라면, 이 험난한 여정의 목적지가 구원에 이르는 여정으로 비춰지는 것은 비약적인 은유만은 아닐 것이다.

주제어(Keyword): 광야(desert), 성 안토니우스(Saint Anthony), 유혹(temptation), 테바이드(Thebaid), 은수자의 삶(hermit's life), 참회하는 성 제롬(Saint Jerome Penitent), 로렌초 로토(Lorenzo Lotto)

---

60) Etienne, "Ecritures saintes, désert, monothéisme et imaginaire," 136.

참고문헌

뤼시앵 레뇨, 『사막교부, 이렇게 살았다』, 허성석 옮김, 분도출판사, 2006.

보라기네의 야코부스, 『황금전설』, 윤기향 옮김, 크리스찬 다이제스트, 2007.

아타나시우스, 『성 안토니의 생애』, 엄선옥 옮김, 은성출판사, 2009.

제프리 버튼 러셀, 『악마의 문화사』, 최은석 옮김, 황금가지, 1999.

크리스토퍼 브룩, 『수도원의 탄생』, 이한우 옮김, 청년사, 2005.

Arasse, Daniel. *Le Détail : Pour une histoire rapprochée de la peinture*, Paris: Flammarion, 1996.

Callmann, Ellen. "Thebaïd Studies", *Antichità Viva* 4: 3(1975): 3-22.

Cavallera, Ferdinand. *Saint Jerome : sa vie et son œuvre*, Louvain/Paris: 1922.

Chastel, André. *Fables, formes, figures*, vol 1, Paris: Flammarion, 1978.

Christiansen, Keith. B. Kanter, Laurence and Strehlke, Carl Brandon. *Painting in Renaissance Siena: 1420-1500*, New York: Metropolitan Museum of Art, 1989.

Clark, Kenneth. *L'Art du paysage*, trans. André Ferrier and Françoise Falcou, Paris: Rene Julliard, 1962.

Etienne, Bruno. "Ecritures saintes, désert, monothéisme et imaginaire," *Revue de l'Occident musulman et de la Méditérranée* 37:1 (1984): 133-149.

Firpo, Massimo. "Lorenzo Lotto and the Reformation in Venice," in *Heresy, Culture, and Religion in Early Modern Italy: Contexts and Contestations*, eds. Ronald K. Delph, Michelle M. Fontaine, John Jeffries Martin, Kirksville, Missouri: Truman State University Press, 2006, 21-36.

Guillaumont, Antoine. "La conception du désert chez les moines d'Egypte," *Revue de l'histoire des religions* 188:1 (1975): 3-21.

Humfrey, Peter. *Lorenzo Lotto*, New Haven: Yale University Press, 1997.

Jerome (saint), *Vie de Paul de Thèbes et vie d'Hilarion*, trans. P. de Labriolle,

Paris: Bloud et Gay, 1907.

Laneyrie-Dagen, Nadeije. *L'invention du corps. La représentation de l' homme du Moyen Age à la fin du XIXe siecle*, Paris: Flammarion, 2006.

Lapostolle, Christine. "Ordres du désert et l'aire du désordre," *Médiévales* 2:4(1983): 37-61.

Lapostolle, Christine. "Temps, lieux et espaces. Quelques images des XIVe et XVe siècles," *Médiévales* 9:18 (1990): 101-120.

Legasse, Simon. Lamarche, Paul. Couilleau, Guerric. Derville, André et Godin, André. "Tentation", *Dictionnaire de spiritualité ascétique et mystique*, t. XV, Paris: 1991, 193-251.

Malquori, Alessandra. "La 'Tebaide' degli Uffizi: Tradizioni letterarie e figurative per l'interpretazione di un tema iconografico," *Tatti Studies in the Italian Renaissance* 9 (2001): 119-137.

Mantegna 1431-1506, sous la direction de Giovanni Agosti et Dominique Thiébaut, Paris: Hazan, 2008.

Origeniana nona: Origen and the religious practice of his time, papers of the 9th International Origen Congress, Pécs, Hungary, 29 August - 2 September 2005, eds. G. Heidl and R. Somos, Leuven-Paris-Walpole, MA: 2009.

Philon d'Alexandrie. *De Decalogo*, ed. Valentin Nikiprowetzky, Paris: Cerf, 1976.

Russo, Daniel. "Le corps des saints ermites en Italie centrale aux XIVe et XVe s.: étude d'iconographie," *Médiévales* 4:8(1985): 57-73.

Russo, Daniel. *Saint Jérôme en Italie: Etude d'iconographie et de spiritualité (XIII-XIVe siècles)*, Paris-Rome: La Découverte-Ecole française de Rome, 1987.

Strehlke, Carl Brandon. "Cenni di Francesco, the Gianfigliazzi, and the Church of Santa Trinita in Florence," *The J. Paul Getty Museum Journal* 20 (1992): 11-40.

Vasselin, Martine. "La figuration des tentations des saints dans la peinture à l' époque moderne," *Rives nord-méditerranéennes* 22 (2005): 15-33.

Waterhouse, Ellis K.. "Sassetta and the Legend of St. Antony Abbot," *The Burlington Magazine for Connoisseurs* 59:342 (Sep., 1931): 108-113.

The Image of Desert and its Functions: Focusing on the North−Central Italian paintings from the 15th century to the early 16th century

Lee Jiyeon (Korea National University of Arts)

The desert in the Old Testament is described as an ambivalent place that the Israelites had to pass before receiving greater blessings from God, where human frailty and evil spirits are disproportionately omnipresent. In typological perspective, their desert journey for 40 years prefigures the penance of Jesus who fasted for 40 days and nights in the Judean Desert after His baptism. Following the example of Jesus, the Desert Fathers began the eremitic life in the desert of Egypt around the 3th century and have gone through process of mortification, temptation and penance. It was the 12th century before their sources were introduced in the Occident. For example, the Life of St. Anthony written by Saint Athanasius is a meaningful biography that not only has served as a model to the monks' austere way of life by giving the image of heroism to the Father of the monks, but also offered an 'epic' material for the moral edification of the beholders in the context of western art history. In connection with this narrative structure, the 14th and 15th century Tuscan paintings were dominated by two principal themes: on the one hand, stories such as the journey of Saint Anthony in the desert and the temptation by the devil, inserted in manuscript or developed in predella of altarpiece, laid emphasis on the rough path of the desert, and on the other hand, usually commissioned for the monastery and represented in frescoes above manuscript or predella, the Thebaid created an 'universal' image by reassembling the lives of hermits that would happen at different times in different places. In the late 15th century, small−scale religious painting in which the penitent saint was alone practicing asceticism in the desert had become a popular genre also in Venice. This devotional image making the saint as an intercessor for his devotees would be aimed at bringing back the memory of a long penance in the desert where the early Christian hermits lived actually. Therefore this study considers the metaphorical attribute of the desert as well as the probability that it will function as a place on which self-purification, penitence and desire for salvation are projected by focusing on the North-Central Italian Renaissance paintings.

광야의 성인들 : 독일 풍경화의 '성 프란체스코'와 '성 히에로니무스'

손수연(홍익대학교)

Ⅰ. 머리말

　광야는 그리스도교에서 수련의 장소이자 고립된 장소, 영적인 훈련과 신앙의 체험을 하는 곳으로 제시되어왔다. 그리스도교에서 광야를 무대로 활동한 대표적인 성인들은 성 안토니우스, 성 히에로니무스, 세례 요한 등이 있으며 그림에서는 성 유스타스나 성 크리스토퍼도 광야를 배경으로 재현되는 성인들에 포함된다. 이들의 활동을 서술하고 있는 보라기네의 『황금전설』을 비롯한 여러 성인전들의 기록을 보면, 이들은 광야에서의 수련과 종교적 경험을 통해 훌륭한 성인이 되는 소양을 가꾸어 나간다. 광야의 성인들은 수도원 문화와 금욕주의가 활성화되면서 더욱 인기를 끌게 되었고 미술 작품의 주인공으로서, 명상의 대상으로서도 출현하였다. 15세기말에 제작된 죠반니 벨리니(Giovanni Bellini)의 〈성 프란시스의 황홀경〉(1480)(도 1)을 시초로 성인들이 등장하는 화면에 풍경의 비중이 점점 커지며, 16세기 독일 지역에서 제작된 풍경화에서는 독일 지역에서 흔히

도 1. 죠반니 벨리니(Giovanni Bellini), 〈성 프란체스코의 황홀경〉 1475-80, 패널에 유채, 124.6m ×42m, 뉴욕 프릭 컬렉션

볼 수 있는 지형학적 특징이 드러나는 풍경이 광야로 등장하는 것을 볼 수 있다. 본고에서는 성인들의 일생에 있어서 광야의 의미를 되짚어 보고자, '성 프란시스'와 '성 히에로니무스'를 중심으로 성인 풍경화에서 풍경의 도상학적 의미를 분석해 보고자 한다. 또한, 16세기 이후부터 독일 지역 풍경화에서 광야가 독일 지역의 숲으로 대체되는 과정을 사회적 문맥에서 살펴보고자 한다.

II. 북부의 성인 풍경화

풍경화는 회화 장르의 위계질서에서 신화, 종교, 역사를 그리는 역사화, 인물을 그리는 초상화, 장르화에 비해 낮은 위치에 속하는 장르로 간주되었다. 그리하여 근세의 화가들은 풍경화만 그리지 않고 신화나 성경에 나오는 인물들을 등장시켜, 풍경이 보이더라도 꼭 등장인물이 등장하는 구성을 취하였으며, 이러한 구성은 18세기 프랑스의 푸생과 로랭이 제작한 영웅풍경화(Heroine Landscape)의 전통으로 연결된다.

르네상스 이후 북부지역의 풍경화는 지역마다 다른 특징의 풍경화를 볼 수 있다. 먼저 독일을 중심으로 한 작가들, 특히 알브레흐

도 2. 알브레흐트 뒤러(Albrecht Dürer) 〈광야의 성 히에로니무스〉 1495-96, 패널에 유채, 23x17cm, 런던 내셔널 갤러리

도 3. 알브레흐트 알트도르퍼(Albrecht Altdorfer),
〈성 프란체스코와 성 히에로니무스〉 1507. 패널에 유채, 24cmx21cm,
베를린 국립 회화관

도 4. 루카스 크라나흐(Lucas
Cranach the Elder), 〈참회하는
성 히에로니무스〉, 1502

트 알트도르프를 비롯한 다뉴브화파들(Danube School)과 뒤러(Albrecht Dürer), 크라나흐(Lucas Cranach the Elder)의 풍경화는 크고 울창한 나무가 전경에 서있거나, 빽빽한 삼림과 울창한 숲이 주제를 이루는 삼림 풍경화이다(도 2-4). 반면, 파티니어(Joachim Patinir), 코닝슬로 (Gilis Coninxloo), 브뢰헐(Peter Brughel)등으로 대표되는 안트베르펜(Antwerpen)의 풍경화는 독일지역의 풍경화와는 다른 모습이다. 파티니어의 풍경화는 세계풍경화 (World Landscape)라고 불리며 위에서 바라보는 조감도법적인 시점에서 그려져, 지평선이 화면의 높은 부분에 위치한다.(도 5) 여기에서 마을 각 지역의 부분들, 성과 마을, 시냇물등이 아주 작고 세밀하게 묘사되어 작가가 자연을 집약하고, 수집한 것처럼 보인다. 파티니르의 풍경화도 더 이상 인물이 풍경화의 주도적인 위치를 차지하는 것이 아니라 오히려 풍경이 화면전체에 펼쳐져, 등장하는 성인의 역할이 그리 중요하지 않다.

도 5. 요아킴 파티니어(Joachim Partinir), 〈성 히에로니무스가
있는 풍경〉 1524. 패널에 유채, 91x74cm, 프라도 미술관

파티니어의 〈성 히에로니무스가 있는 풍경화〉에서 성 제롬은 풍경속의 한 부분이
되어 거의 눈에 띄지 않고, 제목이 없다면, 성인 풍경화인지 아닌지 짐작하기가 쉽지
않다. (도 5)

북부지역에서 풍경의 표현은 중세 후기부터, 태피스트리나 벽화, 채색 필사본
의 배경에 등장한다. 1492년 메디치 가의 재산목록에는 큰 규모의 플랑드르 풍경화
(paesi)가 있었다는 기록이 있다. 현존하는 작품 중에서는 리히텐슈타인의 게오르그
주교가 주문하여 보헤미아의 화가가 그린 1400년작 프레스코 벽화가 남아있으며, 축
제와 사냥을 즐기는 7월의 정경을 볼 수 있다. 하르트만 쉐델(Hartmann Schedel)은 그
의 『뉘렌베르크 연대기』에서 1460년대 브란덴부르그 수도회 도서관에서 본 벽화의
풍경을 이야기하고 있는데 실제 풍경을 그린 독립적인 풍경화라 보기는 어려우며, 알
레고리적 차원에서 제작한 작품이다.

도 6. 영국의 화가(English Master), 〈물에 관하여〉,
목판화, 바르톨로메우스 안젤리쿠스의 『사물의 비례』
(1495, 런던 출판)에 수록된 삽화

채색필사본에서도 풍경이 발견되
는 데, 보통 성무일과서에서 각 달을
나타내는 묘사와 함께 그려진다. 인
간의 노동장면이나 각 달과 관계되
는 별자리를 그린 황도십이궁과 함
께 등장한다. 파리의 장 퓨셀리(Jean
Pucelli)의 성무일과서(1320년대)에서
는 각 계절의 노동 장면이 묘사되
어 있으며, 부르공디의 메리의 화가
(Master of Mary of Burgundy)가 제작한
필사본(1490)이나 비엔나의 스코틀
랜드의 제임스4세의 기도서에는 황
도십이궁과 함께 풍경이 그려졌다.
중세시대의 백과사전에는 물질이
나 동물, 식물, 지구, 세계, 지역에 관
한 항목에 삽화를 넣을 때 거의 목판
화로 제작한 풍경화를 사용하였다.

한 예로 바르톨로메우스 안젤리쿠스(Bartholomeus Angelicus)의 백과사전에 '물'에 관한 항목에서 물을 그린 풍경화 삽화를 보여주고 있다. (도 6) 백과사전 뿐 아니라 식물학책이나 의학책, 지형도, 역사서, 여행기에도 풍경삽화가 수록되었는데, 1508-09년에 출판된 도미니코회의 펠릭스 파브리 (Felix Fabri)의 순례여행기에는 이스라엘의 호렙산과 시나이산의 풍경을 수록하였다. 이 당시 제작된 지형학 서적의 풍경화의 경우 지형학에 대한 관심을 반영하긴 하였지만, 어떤 구체적인 장소를 나타내거나, 실제 장소를 그린 것은 아니며, 초기의 이야기적, 알레고리적 성격이 반영된다.[1]

도 7. 히어르켄 토 진 얀(Geergen tot Sint Jans), 〈황무지의 세례요한〉,1490-95, 패널에 유채, 42×28cm. 베를린 국립 회화관

15세기 플랑드르 지방에 유화가 시도되면서, 제단화 배경에 좀 더 정교해진 풍경화가 묘사되었다. 이탈리아인들은 이를 경탄하여 고대학자 치리아코 단코나(Ciriaco d'Ancona)는 로히에 판 데어 베이든(Rogier van der Weyden) 제단화 풍경에 묘사된 초원, 꽃들, 나무들, 그늘지고 잎이 많은 언덕에 대해 칭송하였다. 이탈리아화가들은 작품 배경의 풍경을 위해 네덜란드 풍경 전문화가를 고용하기도 하였다.[2] 플랑드르 지방에서는 성인의 일생을 그린 작품의 배경에 풍경의 비중을 확대한 성인 풍경화를 제작하게 되었는데, 시초

1) Otto Pächt, 'La Terre de Landers,' *Pantheon*, 36 (1978), 3-16.
2) 바자리는 티치아노가 (플랑드르인들을 포함한) 독일화가들을 고용하였는데 그들은 뛰어난 풍경화가들이라고 하였다. Vasari, *Le Vite*, ed. Milanesi, 7, p.429; Wood, *Albrecht Altdorfer*, 365.note.102에서 재인용.

가 되는 작품으로 히어르켄 토진얀 (Geertgen tot Sint Jans)의 〈광야의 세례 요한〉(1475)이 주목할 만하다(도 7). 토진얀은 전경에서 후경을 푸른 초원 으로 연결하고 있으며, 각종 수목의 다양한 잎사귀, 시냇물의 흐름과 물 결 표현등에 정교한 관찰을 반영한 다. 헤라르트 다비드(Gerard David)의 〈탄생〉제단화의 날개부분에는 인물 이 아예 사라지고, 독립적인 풍경이 재현되어 있다.(도 8)

도 8. 헤라르트 다비드(Gerard David) 〈탄생〉제단화, 닫은 장면, 1505, 패널에 유채, 88.3×28.7cm, 라익스 박물관

III. 광야의 성인들 : 성 프란체스코와 성 히에로니무스

성인 풍경화에 자주 등장하는 성인은 성 프란체스코, 성 히에로니무스, 세례요한 과 성 크리스토퍼, 성 유스타스등이다. 이들은 광야(wilderness)'라는 장소에서 머물면 서 각자 신의 목소리를 듣는 등 종교적인 체험을 한 성인들이다. 그리스도교에서 광 야는 성인의 인생에 있어서 긍정적인 의미로 본다면, 성인들이 각자 초자연적인 방법 으로 신의 현현을 경험하고 종교적 환상을 보는 곳, 평범한 삶에서 성인의 삶을 살게 되는 삶의 전환점이 돼는 경험을 하는 곳이다. 또한 부정적인 의미에서는 악마들의 유혹을 받는 곳, 신의 가호가 미치지 않는 곳, 위험한 곳으로 비유되어왔다.

광야를 국경이 없는, 조용한 공간, 상상의 천국등으로 이상화하는 작업은 4세기부 터 이루어졌다. 사막의 '거대한 침묵' 과 '위대한 고요'는 수도승들이 하나님의 지식 의 유입을 위한 준비단계에서 마음을 비우는데 필수적인 덕목이다.[3] 4세기부터 사막

---

3) Judith Adler, "Cultivating Wilderness: Environmentalism and Legacies of Early Christian Asceticism," *Comparative Studies in Society and History*, 48:1 (Jan, 2006): 17-20.

에 켈리아(Kelia)와 같은 수도승 거주지가 세워졌으며, 폰티쿠스(Evagrius Ponticus)와 그의 동료들도 신과의 연합을 원하는 수도사는 자신의 생각을 잘 관찰하고, 적의 소음으로부터 떠나 고독과 침묵의 세계로 들어와야 한다고 하였다. 이렇듯 4세기부터 광야는 교부들과 신학자들에 의해 성인들에게 필수적인 경험의 장소로 기술되었으며, 수도원생활은 광야생활과 동일시되어 수도원에서의 고립된 삶이 가정에서의 삶보다 더 우위에 놓여 적극적으로 장려되었다.

독일에서 묘사된 광야의 성인들은 성 프란체스코와 성 히에로니무스가 대표적이다. 이들은 광야에서의 수련이 그들의 인생의 에피소드이기 때문에 그림으로 표현될 때 광야가 있는 풍경화에 재현된다. 알브레흐트 뒤러의 〈성 프란체스코〉는 무릎을 꿇고 환상을 보았을 때 오상을 체험하는 모습으로 그려져 있다.(도 9) 알베르

도 9. 뒤러 〈성흔을 받는 성 프란체스코〉, 1503-04.
목판화, 22.2x14.9cm, 메트로폴리탄 미술관

도 10. 죠토, '성흔을 받는 성 프란체스코',
〈성 프란체스코 제단화〉, 1295-1300.
312x162cm, 루브르 박물관

나 산에서 이사야서 6장에 등장하는 날개가 여섯인 스랍 천사 안에 십자가에 못 박힌 예수의 형상을 보았을때, 십자가로 인한 그리스도의 다섯 상처가 자신의 몸에 옮겨지는 체험을 형상화 한 것이다. 이러한 시각적 표현의 이른 예로는 이탈리아 화가 죠토(Giotto)의 〈프란체스코 제단화〉가 있다(도 10). 죠토는 풍경 표현을 위해 바위산과 나무들을 사용하고 있으며, 〈새에게서의 설교〉(1280)장면에서도 바위산에 새들을 배경으로 전개되는 이야기이기 때문에 풍경을 배경으로 등장한다. 독일의 알트도르퍼의 〈성 프란체스코〉에서도 뒤러의 작품처럼, 성 프란체스코의 초자연적인 성흔의 표현을 위해 주인공의 양손바닥과 양 발, 옆구리와 연결되도록 실선으로 나타내었다.

성 히에로니무스도 풍경화를 배경으로 등장하는 대표적인 성인으로 독일의 세 작가 뒤러(1495-96), 크라나흐, 알트도르퍼가 모두 작품을 남기고 있어, 이 지역에서 성인의 인기를 가늠해 볼 수 있다(도 2, 3, 4). 유화나 판화로는 '광야에서 고행하는 성 히에로니무스'와 '서재의 성 히에로니무스' 주제가 가장 많이 그려졌다. 이 중 풍경화로 그려진 주제가 '광야에서 고행하는 성 히에로니무스'이며, 보라기네의『황금전설』의 기록에 근거해서 성인과 사자를 함께 그리는 경우가 많았다. 또한 이 세 화가는 광야에서의 히에로니무스를 형상화할 때 히에로니무스가 돌을 들고 자신의 가슴을 치려고 하는 순간을 포착한다. 광야의 고행에 대해 기록된 성 히에로니무스의 서신을 보면 로마에서 여자들과 어울리던 기억들이 줄곧 뇌리에 박혀서, 헛된 생각을 떨치기 위해 광야로 나가 수주일 동안 어린아이 머리통만한 돌을 가지고 자신의 가슴에 피가 날 때까지 쳤다고 한다. 로마에서 성 히에로니무스는 귀족 가문의 상류층 과부들과 주로 교류했는데, 레아, 마르켈라, 파울라 그리고 이들의 딸 블라이실라와 에우스토키움의 이름이 알려져 있다. 대부분의 광야 장면에서 성 히에로니무스는 왼손에는 작은 십자가상을 쥐고 앞쪽에는 두툼한 책이 한 권 펼쳐져 있는 것으로 보아 그가 번역한『불가타』성서일 것으로 추측된다. 성 히에로니무스는 373년 예루살렘을 순례한 뒤 열병에 걸렸다가 치유된 적이 있는데, 그 후 안티오키아 동쪽 카르치스 광야로 떠나 4년 동안 수도에 전념한다. 〈사막에서 묵상하는 성 히에로니무스〉주제는 바로 이 시기를 그리고 있다. 또한『성 히에로니무스의 생애』에도 기록되어 있는[4] 사자 앞발의 가시에 대한 일화에 근거해 히에로니무스를 그린 서재장면이나 광야장면 모두에 사자가 등장한다. 이는 사자의 앞발에 박힌 가시를 뽑아주었더니, 그 사자가 성 히에로니무스를 평생 따라다녔다는 기록에 근거한 것이다.

미술사학자 데이비드 캐리트(David Caritt)는 뒤러의 〈사막의 성 히에로니무스〉(도2)의 풍경이 죠반니 벨리니의 〈성 프란체스코의 황홀경〉(도 1)의 영향을 받은 작품이라고 주장한 바 있다.[5] 벨리니의 작품에서는 석양

도 11. 죠르지오네(Giorgione), 〈뇌우〉, 1505, 82x75cm, 캔버스에 유채, 베니스 아카데미 갤러리

의 자연을 배경으로 성 프란체스코가 대자연앞에 팔을 벌리고 서있고, 모든 자연이 석양빛을 받아 마치 신의 빛을 받은 것처럼 노란 색 색조가 화면 전체를 감싸고 있는 분위기는 인물보다 더 강렬하게 느껴진다. 캐리트의 언급은 뒤러와 벨리니의 작품은 서로 등장인물이 다름에도 불구하고 풍경의 유사성에 주목했음을 알 수 있다. 뒤러는 1494년부터 1495년까지 이탈리아 여행에서 베니스의 벨리니 작업실을 방문하였기 때문에 뒤러가 벨리니 작품을 실제로 보았을 가능성이 높다. 베네치아 화파의 풍경화에서는 죠르지오네(Giorgione)의 〈뇌우〉에서 관찰할 수 있는, 북부 풍경화의 청록색, 은색등의 사용을 감지할 수 있어, 북부 풍경화와의 교류를 짐작할 수 있다.(도 11)

학자들은 벨리니 작품의 풍경에 나오는 배경이 '천상의 예루살렘(Heavenly Jerusalem)'을 시각화 한 것이라고 주장한다.[6] 원래 '천상의 예루살렘' 주제는 북부에

4) Migne Pat. Lat. XXII, c.p. 209
5) David Carritt, "Durer's 'St Jerome in the Wilderness,' *The Burlington Magazine*, Vol.99, No.656(Nov.1957), p. 365
6) Anthony Janson, "The Meaning of the Landscape in Bellini's "St. Francis in

서 자주 볼 수 있는 주제이지만, 15세기 중반 베니스를 통한 네덜란드, 독일과 이탈리아의 교류로 이탈리아에 유입되어 남부로 확산 된 주제이다. 가장 이른 예로는 벨리니의 부친, 야코포(Jacopo Bellini)가 그린 〈오상을 받는 성 프란체스코〉에서 〈성 프란체스코의 황홀경〉에서처럼 강이 흐르고 언덕위에는 성이 있는 특징이 보인다. 15세기 후반부터 '천상의 예루살렘'을 좀 더 자연스러운 시각언어를 사용하게 되는 데 이는 요한계시록 21장 22절 "성 안에서 내가 성전을 보지 못하였으니 이는 주 하나님 곧 전능하신 이와 및 어린 양이 그 성전이심이라"에 근거하여 성(城) 대신 바실리카 양식의 교회로 대체하였다. 또한 윌슨은 (Wilson)은 히브리서 12장 22절의 "그러나 너희가 이른 곳은 시온 산과 살아 계신 하나님의 도성인 하늘의 예루살렘과 천만 천사와"을 참고해 이 풍경화에 나오는 산이 시온 산(Mount Zion)이라고 주장했다.[7] 데이비드 캐스트는 또한 신의 도시를 표현하는 풍경이라고 주장하기도 했다.[8] 그러나 학자들은 벨리니의 〈성 프란체스코의 황홀경〉의 풍경이 '천상의 예루살렘'과 '시온 산'을 그린 것으로 동의하고 있다. 그러나 무엇보다 동굴의 존재에 주목해야할 것인데 동굴은 세속과 금욕적인 수련을 대비시키는 은수자 성인들의 상징이라 할 것이다. 벨리니의 작품에서는 동굴 앞에 놓인 책상과 그 위에 놓인 해골 때문에 성 히에로니무스가 아닌가하는 의문을 갖게 한다. 이에 대해 젠슨은 15세기 후반 베니스에 성 히에로니무스에 대한 관심이 폭증하여, 벨리니, 치마(Cima), 빌바리니(Vicarini) 등 베니스 화가들이 성 히에로니무스 성인화를 많이 그렸다고 밝힌다. 여기서 동굴은 구원을 상징하는데, 그 이유는 그리스도가 부활하기 전 3일간을 무덤에 있었기 때문이다. 그리하여 동굴은 순수히 영적인 생활을 위해 세상을 포기한 성 히에로니무스같은 인물들에게 적합한 상징으로 자리잡게 된 것이다. 또한 '천상의 예루살렘' 장면에서의 동굴은 천상의 예루살렘으로 들어가는 입구의 상징이 된다. 이러한 동굴 모티브들은 독일 네덜란드지역에서는 16세기 전반기에 확산되어 히에로니무스 보

Ecstasy," *Artibus et Historiae* Vol.15, No.30 (1994), p.44.

7) C. Wilson, "Giovanni Bellini's Pesaro Altarpiece, Studies in its Context and Meaning," Doctrl DIss., New York University, 1976, p.184.

8) D. Cast, "The Stork and the Serpent: A New Interpretation of the Madonna of the Meadow by Bellini," *Art Quarterly*, 32, 1969, p.252.

쉬(Hieronymus Bosch)나 요아킴 파티니르(Joachim Patinir)의 작품에서도 동굴 모티브를 찾아볼 수 있다. 그리하여, 성 히에로니무스나 성 프란체스코를 그린 작품들에서 성 인들은 다르지만, 그들이 광야에서 수련한 성인이라는 점에서, 풍경화의 의미는 유사 하다고 볼 수 있다. 물론 벨리니의 〈성프란체스코의 황홀경〉에서 두 팔을 벌린 성인 의 자세는 프란체스코 자신이 지은 '태양의 노래'를 부르고 있는 자세로 추측된다(도 1)[9]. 『완전함의 거울 (Speculum Perfectionis)』에서 성프란체스코의 '태양의 노래'에 관 한 일화를 이렇게 기술한다.

어느 날, 그가 너무나 많은 문제들과 걱정으로 고심하고 있을 때 속으로 "주님, 나를 보시고 나의 모든 문제들을 도와주셔서 그것들을 인내로 견딜 수 있는 힘을 주소서."라고 기도하자, 그의 영혼에 이렇게 말하는 어떤 목소리를 들었다. "형제여, 나에게 말하라, 이러한 병약함과 시련에 대한 상으로, 너는 너무나 넓고 귀중한 보물을 받았고, 순금과, 보석과 발삼향수를 받았다. 어떠한 것도 이러한 보물들과 바꿀 수 없을 것이다. 행복하지 않은가? 그러나 복을 받은 프란체스코는 이렇게 답했다. "주님, 이러한 보물이 너무 크고 소중하고 너무 사랑스럽고 좋습니다." 그러자 그 목소리가 다시 한 번 들렸다. "그럼 형제여, 너의 모든 문제들과 시련안에서 기뻐하라. 나머지는 나를 신뢰하라. 네가 나의 왕국에 이미 있는 것처럼"[10]

그리고 성 프란체스코는 '태양의 노래'로 이렇게 화답한다.

"주님 당신은 찬양받으실 분입니다. 당신의 모든 피조물들로 인해
무엇보다 당신은 형제, 태양을 만드셨습니다

---

9) 『완전함의 거울 (Speculum Perfection)』, 『페루지아의 전설 (Legenda Antiqua)』에 기 술된 성 프란체스코의 일생에서 그가 '태양의 노래'로 하느님을 찬양했다고 전해진다. Jason, 위의 논문, p. 50.
10) Thomas Celano, *St. Francis of Assisi, Writings and Early BIographies, English Omnibus of the Sources for the Life of St. Francis*, ed. M.A. Habig (Quincy IL, 1991), p.1235. Janson, 위의 논문, p.51에서 재인용

그는 날을 가져오고, 그를 통해 우리에게 빛을 주십니다

그는 얼마나 아름다운가요. 그의 화려함은 얼마나 찬란한가요.

그는 가장 높은 신 당신과 비슷합니다"[11]

이렇게 자연을 의미를 종교적인 경험 속에서 찾고 있는 프란체스코의 고백은 벨리니의 작품에서도 풍경화가 종교적인 경험의 진술임을 추측하게 한다. 또한, 벨리니도 프렌체스코처럼 자연을 단순히 자연 자체로 보는 것이 아니라, 칭송받아야할 창조주의 피조물이자 인간이 누리고 교훈을 얻어야할 장소로 재현한다. 이러한 면에서 성 프란체스코나 성 히에로니무스 풍경화의 배경은 단순히 지역적 배경으로 이해할 것이 아니라 그리스도교적 관점에서 이해해야 할 것이며, 관람자의 입장에서는 긍정적인 의미를 함축하고 있는 것이다. 특히 이들 성인에게 있어서 광야는 악마가 유혹을 하는 위험의 장소, 부정적인 장소이도 하지만, 결국 이들은 그곳에서 시련을 극복하고, 더 큰 영적인 도약을 하는 긍정적인 의미의 풍경이 되는 것이다.

IV. 16세기 독일의 성인 풍경화

16세기에 들어서면 독일의 풍경화에서는 크고 울창한 나무를 중심으로 빽빽한 삼림과 울창한 숲의 묘사가 돋보인다. 인물이 있다 하더라도, 농업이나 건물, 여가, 동물, 가정에 대한 어떤 묘사도 하지 않는다(도12). 이는 인물과 풍습을 볼 수 있는 안트베르펜 풍경화와는 다르며, 크고 울창한 나무를 거친 숲에 배치하는 구성을 보이는 볼프 휴베르(Wolf Huber), 루카스 크라나흐등 다뉴브화파들(Danube School)의 양식적 특징이다.[12]

---

11) J. Jörgensen, *Saint Francis of Assisi, A Biography*, trans. T.O. Sloane (London, 1928), p.314. Janson, 위의 논문, p.52에서 재인용.

12) 16세기 초 다뉴브 계곡을 중심으로 활동화가들로서 알브레흐트 알트도르퍼, 볼프 휴버, 요르그 브로우, 아우구스틴 힐쉬포겔등이 속한다. 넓은 범위에서 루카스 크라나흐를 포함시키기도 한다. Fedja Anzelewsky, ʹAlbrecht Altdorfer and the Question

도 12. 알트도르퍼, 〈다뉴브 풍경〉, 1525. 패널 위 양피 지에 유채, 30.5×21.6cm, 뮌헨 알테 피나코텍

도 13. 알트도르퍼, 〈겟세마네동산에서의 고뇌〉, 1518. 상트 플로리안 바이 린즈, 성 어그스틴 교회

　성인풍경화에서도 같은 특징을 볼 수 있는데, 루카스 크라나흐, 알브레흐트 뒤러, 알브레흐트 알트도르퍼 등의 작품에서 전경에서는 성인들의 극적인 사건이 펼쳐지는 반면, 후경은 알프스 산맥에서 볼 수 있는 울창한 전나무와 참나무가 묘사되어 있다. (도2-4) 이는 성인 뿐 아니라, 그리스도의 일생, 성모자상에서도 공통적으로 드러나는 특성이다(도13). 여기서 묘사되는 자연은 다뉴브화파(Danube School) 화가들[13)]의

　　of the "Danube School" in *Altdorfer and Fantastic Realism in German Art*, exhibition catalogue, Paris, Centre Culturel du Malais (Paris, 1984), 10-47; Pierre Vaisse, ′Remarks on the Danube School,′위의 카다로그, 149-64.

13) 16세기 초 다뉴브 계곡을 중심으로 활동화가들로서 알브레흐트 알트도르퍼, 볼프 휴버, 요르그 브로우, 아우구스틴 힐쉬포겔등이 속한다. 넓은 범위에서 루카스 크라나흐를 포함시키기도 한다.

도 14. 뒤러, 〈성 유스타스〉 1500-02,
인그레이빙, 258 x354cm, 사설소장

풍경화에서 볼 수 있듯이 이탈리아의 영향이 거의 보이지 않는 순수한 다뉴브계곡, 바바리아와 오스트리아, 독일의 풍경이며, 지형학적 특성상, 들판이 아닌 숲이 펼쳐진다.

성인의 모습의 배경에 풍경을 배치한 주제로는 주로 '광야'와 관련있는 성인들로서 성 크리스토퍼, 성 프란체스코, 성 히에로니무스, 성 안토니우스, 성 유스타스(도14), 성 게오르니구스, 세례요한등이 이다. 이들 그림은 전통적으로 광야를 배경으로 하고 있지만, 독일 성인 풍경화에서는 나무가 우거진 북부의 숲에 성인들을 배치한다. 기존에 광야에 묘사되었던 성인들이 갑자기 우거진 삼림 속에 재현되는 이유는 무엇일까? 물론 독일 관람자의 입장에서는 자신이 살고 있는 지형에 위치한 성인들을 보며, 더 공감을 느끼고 그들의 모본을 본받고자 한 의도가 가장 필수적일 것이다. 그러나, 실버(Larry Silver)는 이러한 변화에 대해, 야만적으로 취급했던 독일의 숲과 지형, 고대 독일인들을 보는 당대인들의 사고의 전환이 일어났기 때문이라고 주장한다.[14] 이러한 전환에 공헌한 선구적인 역할은 당대 독일의 인문주의자들이 담당했다. 콘라드 켈티스(Conrad Celtis)등 당대 인문주의자들은 독일의 과거를 연구하고 야만인이라고 치부되었던 독일의 조상들을 "북부의 온전한 자연의 자식들인 라플란드 인들"이라 칭송했으며, 그들을 "고귀한 야만(noble savage)"이라 부르며 이상화시켰다.[15] 당대 독일의 시인, 한스 젝스(Hans Sechs)는 숲

---

14) Larry Silver, "Forest Primeval: Albrecht Altdorfer and the German Wilderness Landscape," *Simiolus*, 13:1 (1983): 150.
15) L. Spitz, Conrad Celtis, Cambridge (Mass.)1957. p. 101,n. 10. Silver(1983), 위의 논문, p.14에서 재인용

의 자유와 도시의 구속을 대비시키며 숲에서의 단순한 삶이 진정한 기독교인의 겸손함과 연결된다고 말하였다.[16] 또한, 1420년 독일의 수도원에서 발견된, 로마의 역사가 타키투스(Tacitus)의 『게르마니아 *Germania*』가 1470년에 베니스에서 출판되고, 1473년에는 뉘렌베르크에서 출판되었다. 이 책에는 1세기에 숲에 살았던 독일 토착민들에 대해 기술하면서, 다툼이나 호색, 음주, 탐욕이 없고 문명화되지 않았다고 적혀 있다. 이러한 묘사는 숲에 살고 거친 생활을 하여 야만인으로 치부되었던 독일 고대인들에 대한 변화된 시각을 볼 수 있는 부분이다. 이렇게 시작된 독일의 민족주의는 도시나 왕가의 역사적 연대기 작업으로 이어졌고, 인문주의자나 지리학자들은 독일사뿐 아니라 독일의 도시, 강, 천연자원등의 독일 지리학에 관한 책을 출판했다.[17] 따라서 독일 성인 풍경화의 배경에 등장하는 울창한 나무와 숲은 독일인들의 정체성, 애국심의 징표로 해석할 수 있을 것이다. 이러한 의미에서 광야는 독일인들이 자신들의 정체성과 민족성을 재현할 수 있는 종교적 성지이자 민족적 상징일 것이다.

16) SIlver, "Forest Primeval," 11-12.
　　"이제 세계는 교활하고 불신에 빠져들었고, 우리는 다가오는 거짓의 세계에서 탈피해야한다. 우리는 황무지에 교육받지 않은 아이들과 함께 집을 마련하여, 야생의 과일과 뿌리, 샘에서 나오는 물과 태양빛으로 받아야한다 .... 우리는 세상적인 물질에 신경쓰지 않으며, 매일 아침 먹을 만큼만 모으고, 하나님의 선물을 찬미하며 공경하며 산다. 만약 병이나 죽음이 우리 앞에 닥친다면, 그것이 모든 것을 선으로 이끄는 하나님이 보낸 것을 알게 된다. 그리하여 우리의 시간을 겸손하게 사용하며, 모든 사람들에게 충실하고 신실하며 가난과 단순함이 팽배하도록"
17) 켈티스는 스케델(Hartmann Schedel)이 편찬한 『세계연대기 *Norimberga*』의 1장에 자신을 헤라클레스의 숲에서 태어난 독일인이라고 소개한다. 아우구스부르그의 콘라드 페팅거(Konrad Peutinger)의 *Sermones convivales de mirandis Germaniae antiquitatibus*(1506), 하이델베르크의 프란시스쿠스 이레니쿠스(Franciscus Irenicus)의 *Exeegesis Germaniae*(1518) 펄크하이머의 장소이름에 관한 논문인 *Germaniae explicatio*(1530), 베아투스 레노누스(Beatus Rhenaunus)의 *Germanicarum libri tres*(1531) 등이 독일학 연구의 대표적인 저서들이다.

맺음말

  16세기 독일 성인풍경화에 재현되는 '광야'의 모습을 살펴보며, 성인 풍경화의 도
상학적 의미를 분석해 보았다. 15세기 후반부터 북부에 본격적으로 등장하게 되는
성인 풍경화는 성인과 풍경을 함께 배치하는 장르로서, 여기서의 풍경은 단순한 자연
의 재현이 아닌, 성인전에 등장하는 인물들의 특별한 종교적인 체험이나 수난, 영적
투쟁을 상징한다. 특히, '광야'는 세상과는 절연된 고립된 공간으로서, 악마가 온갖
유혹을 벌이는 위험한 장소이기도 하지만, 성인들에게는 오히려 영적 투쟁에서의 승
리를 가져다 줄 수 있는 기회의 장소이다. 성 프란체스코, 성 히에로니무스, 성 안토
니우스, 성 크리스토퍼, 세례 요한등은 모두 광야에서의 종교적 체험을 경험한 인물
들로 이들이 등장하는 풍경화에는 천상에 예루살렘에서 흐르는 강, 예수의 무덤을 상
징하는 동굴, 시온 산등이 등장한다. 초기에는 삭막한 사막이나, 암벽에 묘사되었으
나, 16세기 독일에서는 광야가 독일 지역에서 볼 수 있는 숲으로 변모하는 모습을 볼
수 있다. 이는 '광야'라는 성인의 수련의 장소이자, 특별한 계시를 받는 종교적 모티
브가 시대가 지나면서 민족적인 정체성을 암시하고 선전하게 되는 새로운 의미와 기
능을 부여받았음을 시사한다.

주제어(Keyword): 풍경화(landscape), 광야(wilderness), 성인(saints), 성 프란체스코(St.
Francis), 성 히에로니무스(St. Hieronymus), 뒤러(Albrecht Dürer), 죠반니
벨리니(Giovanni Bellini), 다뉴브화파(Danube School)

참고문헌

Adler, Judith. "Cultivating Wilderness: Environmentalism and Legacies of Early Christian Asceticism," *Comparative Studies in Society and History*, 48:1 (Jan, 2006), 4-37.

Bernheimer. R. *Wild Men in the Middle Ages*, Cambridge: Harvard University Press, 1952.

Borchardt, F. *German Antiquity in Renaissance Myth*, Baltimore: Johns Hopkins Press, 1971.

Carritt, David. "Durer's 'St Jerome in the Wilderness,' The Burlington Magazine, 99:656(1957): 363-367.

Gibson, Walter, "*Mirror of the Earth*": *World Landscape in Sixteenth Century Flemish Painting*, Princeton: Princeton University Press, 1989.

Janson, Anthony. "The Meaning of the Landscape in Bellini's "St. Frnacis in Ecstasy,"*Artibus et Historiae* 15:30 (1994): 41-54.

Kauffman, L.F. *The Noble Savage: Satyrs and Satyrs Families in Renaissance Art*, Dissertation, University of Pennsylvania, 1979.

Lombardo, Paul A. "Vita Activa Versus Vita Contemplativa in Petrarch and Salutati," *Italica* 59 (1982): 83-92.

Pächt, Otto. 'La Terre de Landers,' *Pantheon*, 36 (1978): 3-16.

Panofsky, Erwin. *The Life and Art of Albrecht Dürer*, Princeton: Princeton University Press, 1971.

Silver, Larry. "Forest Primeval: Albrecht Altdorfer and the German Wilderness Landscape," *Simiolus*, 13:1 (1983) : 4-43.

_____, "Nature and Nature's God: Landscape and Cosmos of Albrecht Altdorfer," *Art Bulletin*, 92:2 (June, 1999): 194-214.

Snyder, James. *Northern Renaissance Art*, New York: Prentice Hall, 2002.

Strauss. Gerald. *Sixteenth century Germany: its topography and topographers*, Madison: University of Wisconsin Press, 1959

Talbot, Charles. "Landscapes from Incunabula to Altdorfer," *Gesta*, 15: 1/2,

(1976): 321-326.

Voragine, Jacopus. *The Golden Legend: Readings on the Saints*, Princeton:Princeton University Press, 2002.

White, H. "The Forms of Wildness: Archaeology of an Idea," *The Wild Man Within*, E. Dudley and M.E. Novak, eds. Pittsburgh, 1972.

Wilson, C. "Giovanni Bellini's Pesaro Altarpiece, Studies in its Context and Meaning," Doctral Diss., New York University, 1976.

Wood, Christopher. *Albrecht Altdorfer and the Origins of Landscape*, Chicago: University of Chicago Press, 2013.

Saints in the Wilderness:
St. Francis and St. Jerome in German Landscape

SOHN, SOOYUN (HONGIK UNIVERSITY)

Christian Saints working in the wilderness includes St. Francis, St. Jerome, St. Anthony , St. John the Baptist and St. Christopher. They are sometimes tempted by the evil or receives God's vision in the wilderness so they experience a special spiriitual training. These saints appear landscape painting because the artists should portray them in the wilderness. This paper examine iconographic meaning and social context of German saint landscape representing wilderness. These saint landscapes such as St. Francis and St. Hieronymus represent not only spiritual meaning relevant to the saints but also visualize national and social meaning behind them.

카스파 다비드 프리드리히의 풍경화에 투영된 '광야'의 다의적 알레고리에 관한 연구

김향숙(홍익대학교)

1. 서론

본 논문은 그리스도교미술의 '광야'에 관한 연구로서 독일의 낭만주의 화가 카스파 다비드 프리드리히(Caspar David Friedrich, 1774-1840)[1] 의 풍경화에 투영된 '광야'의 다의적 알레고리에 관한 탐구이다.

광야는 개간되지 않은 황량하고 아득하게 넓은 벌판으로서 척박한 땅을 의미한다. 그러한 광야가 성서에서는 주로 위대한 주의 종들인 선지자나 지도자가 하나님을 만

---

1) 프리드리히는 독일의 북동부 그라이프스발트(Greifswald)에서 태어났다. 그라이프스발트 대학에서 미술 공부를 시작했으며 1794년에서 1798년까지 덴마크의 코펜하겐 아카데미에서 그림공부를 마쳤다. 1798년 이래 드레스덴(Dresden)에 정착하여 작품 활동을 시작하면서 낭만주의 운동에 동참하였다. 1816년에는 드레스덴 아카데미(Academy of Dresden)에서 그림을 가르치기 시작하였으며 1824년에 교수가 되었다.

나는 장소이며 혹은 연단과 시험을 받은 장소이고 결국 십자가 책형의 장소로 자주 언급되고 있다. 더 나아가 성서에서 의도하는 광야의 비유적인 의미로서 중요한 역할은 인간이 겪어야만 하는 험난한 길로 언급되기도 한다.

구약성서 출애굽에서 언급하고 있는 광야는 모세의 지도로 애굽을 탈출하는 이스라엘 민족이 40년 동안 고통 받는 장소로 언급되고 있다. 선지자였던 모세는 광야의 산과 숲에서 하느님으로부터 여러 가지 계명과 율법을 받았는데 그와 같은 황량하고 척박한 광야의 장소적 특징은 성서의 다른 부분에서도 자주 언급된다. 애굽으로부터 젖과 꿀이 흐르는 가나안까지는 물리적인 시간으로 일주일이면 도착할 수 있다. 그러나 이스라엘민족들은 그 광야에서 40여년을 고생하였다. 그들이 험난한 광야 생활을 해야만 했던 이유는 하느님의 의도가 투영되어 있는, 하느님의 뜻을 이루고자하는 알레고리로 작용하게 된다. 왜 하느님은 인간에게 광야의 길을 예비하신 것일까?

광야는 인간들이 자신의 죄를 고백하거나 혹은 소원을 이루기 위해 기도하러 가는 곳이라는 점에서 즐겁고 행복한 곳이라기보다는 긴장되고 두려운 장소이다. 그러나 다른 한편 광야는 하느님의 해답을 들을 수 있다는 점에서 삶의 궁극적인 문제를 해결할 수 있는 장소이기도하다. 그곳은 그리스도가 사탄의 유혹을 물리쳤던 곳으로서 강인한 하느님을 믿고 의지하면 어떠한 인간적 역경을 극복할 수 있다는 것을 보여주는 장소이기도하다. 그러므로 광야는 모든 성서적인 사건이 일어날 수 있는 가능성의 장소로서 다의적인 의미로 작용 할 수 있는 곳이다.

광야의 미술적 표현가운데 하나는 풍경화이다. 풍경화는 풍경을 주제로 하여 그린 그림으로 대체적으로 자연이 묘사되어 있는데, 그 안에 여러 가지 종교적인 특징을 투영시킬 경우 다양하고 상징적인 알레고리와 연계성을 가진다. 그 대표적인 예로는 19세기 독일낭만주의 화가 프리드리히를 들 수 있는데 그의 풍경화는 자연 속 십자가 책형, 폐허가 된 수도원, 순례자, 숭고 그리고 죽음이 주를 이루고 있다.

프리드리히가 그리스도교적인 풍경화를 그리게 된 미술교육의 시작은 1790년 고향의 그라이프스발더 대학(Greifswalder Universitäts) 건축과교수인 요한 고트프리트 크비스토르프(Johann Gottfried Quistorp)에게서 데생과 건축 제도를 배우며 시작되었다. 당시 크비스도르프 교수는 학생을 데리고 야외스케치를 주로 하였는데 그때 프리드리히는 자연을 스케치하며 삶과의 연관성을 고찰할 수 있는 기회를 갖게 되었다. 또한 프리드리히는 크비스토르프 교수를 통해 신학자 루드비히 고트하르트 코제가르텐(Ludiwig Gotthard Kosegartens, 1758-1818))을 소개받기도 하였는데 이 신학자는 프리드리히에게 자연은 신의 계시라는 가르침을 주었다.

프리드리히는 20세가 되던 1794년 코펜하겐의 왕립미술관(Königlich Dänischen Kunstakademie in Kopenhagen)에서 공부하며 풍경화에 고무되기도 하였다. 그 시기 즈음에 프리드리히는 17세기 독일의 풍경화가였던 아담 엘스하이머(Adam Elsheimer, 1578 – 1610)의 작품을 알게 되었는데, 그의 작품은〈이집트로의 피신 Flight Into Egypt〉에서 보여주듯이 전원적인 풍경화에 종교적인 주제를 포함하고 있었다. 또한 같은 시기에 독일 문학사의 획을 긋는 시인 프리드리히 고틀리프 클롭슈토크(Friedrich Gottlieb Klopstock, 1724-1803)의 자연에 대한 신비주의적 시각에 매료되기도 하였다. 이러한 미술교육과정에서 자연과 신의 혼재된 경험은 프리드리히의 풍경화에 기독교적인 의미를 부여하는 알레고리의 원인이 된다. 프리드리히는 24세 즈음부터 드레스덴으로 이주하여 평생 그곳에서 살았는데 당시 낭만주의 화가 필리프 오토 룽게(Lunge), 시인 루드비히 티크(Tike), 노발리스(Novalis), 괴테(Goethe) 등과 교류했다. 실제로 괴테는 프리드리히의 작품에 관해 여러 곳에서 언급하기도 하였다.

1808년 프리드리히는 '예술과 예술정신'이라는 노트를 작성하면서 예술가들이 실천해야 할 10가지 계명을 만들었는데 이는 프리드리히기 왜 그리스도교적인 풍경화를 그리게 되었는지 그 배경에 내재된 종교심의 깊이를 헤아릴 수 있는 핵심 포인트가 된다. "너는 신에게 복종해야한다. 왜냐하면 너는 인간이기 때문이다.(...) 네가 예술에 헌신하고 싶다면 너는 너의 직업으로서의 의무를 느껴야하며 예술에 너의 삶을 바쳐야한다. 마치 너의 내면의 소리에 귀를 기울이듯이, 왜냐하면 그 소리는 우리 안에 존재하는 예술이기 때문이다".[2] 그는 예술가의 역할이 예술을 통해 신의 신비로운 비밀을 드러내는 것으로 확신하였다.

그리스도교를 주제로 그림을 그리는 화가라 할지라도 '광야'를 통해 성서적인 의미를 전달한다는 것은 쉽지 않은 작업이고 이는 프리드리히의 그리스도교적인 풍경화에도 해당이 되는 것이다. 시대나 양식의 분류에 관계없이 많은 미술가들은 자연을 포함한 풍경화에 십자가를 세운다거나, 깊은 숲속에 폐허가 된 교회 건축과 순례자등으로 은유하며 종교적인 광야의 의미를 다의로 해석할 수 있도록 알레고리로 표현하였다. 본 논문에서는 그러한 광야에 나타나는 신의 의도를 포함하는 물리적인 조건과 알레고리적인 의미를 프리드리히의 풍경화를 통해 연구하고자 한다.

2. 풍경화의 성서적 연계성

풍경화는 자연을 주제로 그림을 그리는 것으로, 미술의 역사를 거슬러 올라가보면 풍경화는 단순히 배경의 역할을 하였다는 것을 알 수 있다. 풍경화는 시대에 따라 역할의 변화가 있었는데. 로마시대의 풍경화들은 벽이나 바닥을 장식하는 용도로 사용되었으며 프레스코였다. 중세시대에는 자연이 축복이거나 공포의 대상이었는데 이는 종교적인 상황과 연관이 있다. 중세의 이교도들은 험준한 산으로 피신하였으므로 깊은 숲속의 험난한 산은 이교도들의 도피처라는 부정적인 인식이 일반적이었다. 또한 바다의 거친 파도와 폭풍은 두려움의 대상으로 여겨지기도 했다. 다른 한편 푸른 하늘과 산과 나무 그리고 들판의 꽃은 신의 축복으로 받아들였다. 따라서 자연은 두려움과 동시에 경외의 대상으로 여겨졌으며 화가들은 풍경화에 신의 권능을 찬양하거나 신의 심판을 두려움으로 표현하였는데 역시 배경의 역할에 머물렀다. 십자군 원정의 실패로 교황권은 쇠락했으며 르네상스 시대가 도래하였다.

---

2) Sigrid Hinz(Hrsg.), *Caspar David Friedrich in Briefen und Bekenntnissen*, München 1974, S. 83

르네상스시대의 풍경화는 자연을 있는 그대로 재현하려는 사실주의가 발달하게 되었다. 사실주의와 함께 원근법의 발견으로 회화는 수학적이고 과학적인 표현으로 풍경화를 실재처럼 느낄 수 있게 되었으나. 그럼에도 불구하고 풍경화는 성서적인 인물을 강조하는 배경의 역할을 벗어나지 못하고 있었다. 레오나르도 다빈치의 〈동굴의 성모〉를 비롯하여 반 아이크의 〈대법관 롤랭과 성모자상〉 조르조네의 〈폭풍〉 티치아노의 〈전원의 합주〉등은 인물을 전경에 세우고 배경은 풍경으로 가득 채웠는데 이러한 특징은 17세기의 풍경화까지 지속되었다.

종교개혁이후 풍경화는 변화를 가져왔는데 화가들은 자연에서 더 이상 신의 뜻을 찾지 않았다. 그들에게 풍경은 단지 눈에 보이는 자연이며 이때부터 풍경화는 독립적인 장르로 자리매김하기 시작하였고 플랑드르화가들에게서 나타나기 시작했다. 당시 플랑드르는 종교적으로 프로테스탄트가 우세하였는데 미술을 향유하는 사람들이 왕족이나 귀족이 아닌 시민계급이었으므로 그들은 자신들의 일상을 드러내는 도시나 자연풍경을 선호하였다. 대표적인 풍경화가로는 피터 브뤼헬(Pieter Brueghel de Oude, 1530-1569)을 들 수 있는데 〈이카루스의 추락〉에는 네덜란드의 아름다운 바다 풍경에 농부가 쟁기를 갈거나 양치기가 등장하며, 〈사냥꾼〉1565에서는 일상적인 사람들의 활기찬 생활을 그렸다. 루카스 반 발켄보르크(Lucas van Valckenborch, 1535 - 1597)는 아름다운 4계절의 변화를 캔버스에 담았는데 순수하게 독립적인 풍경화를 볼 수 있다.

18세기에 시작된 산업혁명은 도시의 급속한 산업화 진통을 겪으며 자연으로 돌아가려고 하였으며 영국에서는 컨스터블(John Constable,1776-1837)이 자연주의적이고 목가적인 풍경화를, 터너(William Turner, 1775-1851)는 무섭게 몰아치는 눈보라를 그리거나 눈 폭풍이 몰아치는 바다 한가운데의 흔들리며 요동치는 〈바닷가의 어부들〉을 그렸다. 반면 프랑스에서는 대혁명이 후 물질주의적인 사회에 환멸을 느꼈던 제리코와 들라크루아가 낭만주의 풍경화에 대한 새로운 인식을 표출하기 시작했는데 〈메두사호의 뗏목〉과〈키오스섬의 학살〉등은 풍경화에 역사적인 사건들을 담아낸 대표적인 사례들이다.

다른 한편 독일 낭만주의 화가 프리드리히는 단순히 풍경을 묘사하는 것에 그치지 않고 풍경에 어떠한 의도를 부여하려고 했는데 그로부터 종교적인 요소가 들어있는 풍경화가 등장하였다. 자연 속에 신이 존재하고 있다는 범신론적인 신앙관을 가졌던 프리드리히는 자연을 관찰하고 회화적으로 변용하여 표현하는 과정에서 기독교적인 요소를 드러내었는데 그의 그리스도교적 풍경화는 자연을 통한 신의 체험으로 자신의 종교적인 고백이 투영되어 있는 것이다.[3] 예를 들어 저 멀리 높고 고요하고 적막한 풍경을 배경으로 십자가 책형의 그리스도가 홀로 서있는 〈산중의 십자가: 체첸 제단화Tetschener Altar〉와 한 노인이 겨울철 눈 덮인 광야에서 암벽에 기대어 두 손을 모아 기도하는 모습을 보여주는 〈교회가 있는 겨울 풍경〉등은 단순한 풍경화가 아닌 종교적인 차원을 넘어 초월적인 영적 세계를 보여주고 있다. 프리드리히는 풍경에서 황량하고 거칠고 깊은 광야의 자연 속에 투영되어있는 종교적인 신비성과 초월성을 발견했으며, 죽음의 그림자를 드리웠으며 더 나아가 그림을 그리며 순례하는 화가로서 미술의 장르를 개척하는 실험을 지속적으로 하였다. 그는 자연을 신의 신성한 창조물로 묘사하였다.

프리드리히는 "예술가의 감정이 그 자신의 법칙이다"[4] 라며 낭만주의 풍경화는 더 이상 자연의 재현이 아니라 화가 개인의 내적인 주관성의 표현임을 보여주며 자신의 풍경화가 그리스도교적인 알레고리의 특징을 가질 수 있음을 시사하였다.

3. '광야'의 다의적 알레고리에 관한 연구

독일 낭만주의의 기본개념은 자연이다. 따라서 프리드리히의 작품세계에서는 자연이 중심이 되어 표현되어있다. 그의 작품에서 자연은 깊은 종교적 상징성을 가지

---

3) Karl Ludwig Hoch: Zur Ikonographie des Kreuzes bei C. C. Friedrich. In: Ausstellungskatalog, Dortmund 1990, S. 71
4) Sigrid Hinz(Hrsg.), a.a.O. S.,86,

고 있다. 프리드리히는 자연풍경을 묘사하며 신을 체험하는 장소로 그렸다. 그는 예술을 신과 인간의 매개체라고 생각하였고 자연풍경에는 신의 무한함과 인간의 유한성이 연결되어 있다고 믿었다. 그의 작품에서 공간에 나타나는 폐허가 된 수도원, 험난한 숲의 십자가 책형, 자연을 바라보며 관람자에게 등을 보이는 수도사의 뒷 모습 등은 인간의 공허함과 고뇌를 상징하고 있고, 동시에 종교적인 숭고함과 대자연의 신비에 대한 표현이다. 그는 굴곡이 심한 깊은 자연풍경을 통하여 신비로운 종교적 감정을 나타내고 있으며 인간의 고독한 삶과 죽음 그리고 영생이라는 한줄기의 희망을 보여주었다.

3.1 초월적 장소로서의 광야

프리드리히의 화가수업은 자연주의와 종교적 신비주의가 혼재되어있는 풍경화를 배우는 것이었으며 그에게 있어 예술은 마치 광야에서 기도하는 행위와 마찬가지였다. 그 영향이 가장 잘 나타나 있는 작품은 깊은 산중에 외로이 우뚝 솟아있는 십자가 책형 시리즈로, 골고다 언덕에서의 책형이 프리드리히에게는 초월적인 장소, 즉 예수의 죽음이 그리스도의 신으로 부활하는 초월성이 완성되는 곳이었다. 그는 〈산중의 십자가: 체첸 제단화〉(도1)와 〈거대한 산맥의 아침풍경〉(도 2)을 비롯하여 초월적인 장소로서 험난한 광야의 풍경에 십자가 책형을 첨경하였다.

1807년 프리드리히가 그린 〈산중의 십자가: 체첸 제단화〉는 석양이 질 무렵의 붉은 노을과 광대한 구름을 배경으로 가파른 산위의 꼭대기에 드러나는 십자가 책형으로 그리스도의 옆모습인 성체를 보이고 있다. 고요한 가운데 하늘로부터 내려오는 세 갈래의 광휘와 주변에 보이는 거친 나무들은 적막한 분위기를 연출하며 오직 하느님과 대화를 하고 있는 그리스도의 영원한 시간임을 전달하고 있다. 그리하여 자신의 숙명을 받아들인 그리스도의 초월적인 신의 존재를 느끼게 만들었다. 미술비평가 베르너 부쉬(Werner Busch)에 의하면 이러한 세 갈래 빛의 풍경은 인간의 경험을 넘어서는 성스러운 장소의 표현으로 인간이 감히 다가갈 수도 또 눈으로 직접 확인할 수도

(도 1) 프리드리히 〈산중의 십자가: 체첸제단화〉 1808
유화, Staatliche Kunstsammlungen Dresden, Galerie Neue Meister

(도 2) 프리드리히 〈거대한 산맥의 아침〉, 1810
유화, 소실

없게 바위 너머로 숨겨 그린 것이라고 보았다.[5]

　뾰족하게 묘사된 소나무와 떡갈나무가 산위의 정상까지 이어지는 암벽의 계곡은 장소를 측정할 수 있게 만들었는데 프리드리히가 여행했던 북 독일의 풍경을 묘사하고 있다. 프리드리히가 살았던 북부독일의 풍경은 위로 꼿꼿이 솟은 떡갈나무와 소나무가 혼재된 바위로 이루어진 산이 많은 곳으로 거칠고 황량하다. 프리드리히는 누구보다도 이러한 경치를 효과적으로 표현하는 방법을 잘 알고 있었는데 북독일의 자연풍경을 의도적으로 왜곡하여 험난한 성서적 풍경화로 강조하여 표현하였기 때문에 관람자자들에게는 매우 낯설고 신비롭게 보이기도 한다. 이 그림을 그린 후 프리드리히는 "저 위 정상에 늘 푸른 소나무에 둘러싸여 십자가가 서 있고, 늘 푸른 담쟁이가 십자가를 감고 올라간다. 진홍빛 일몰 속에서 십자가 위의 구세주가 빛난다. 십자가는 그리스도에 대한 우리의 신앙처럼 확고한 반석 위에 서 있다"[6] 고 자신의 신앙고백을 드러내었다. 그가 바라는 삶은 그리스도의 십자가로부터 시작된다는 그의 경건주의 신앙고백은 〈산속의 십자가〉1812 〈산속의 십자가와 수도원〉1812 〈숲속의 십자가〉1813 〈동해의 십자가〉1815 등에 계속이어지고 있다.

　〈산중의 십자가: 체첸 제단화〉는 순수한 풍경화가 아닌 종교적인 풍경화라고 하여 당대 논쟁의 한가운데 섰던 작품이기도하다. 풍경화를 제단화로 격상시켜 제단화의 새로운 인식을 불어넣어준 작품이라는 호평과 더불어 미술비평가 람도어(Friedrich W.B. von Ramdohr)는 "풍경화를 특정한 종교적 사상으로 알레고리화 하는 것은 아카데미의 장르적 위계질서를 벗어나는 것"이라고 비판하였다. 그는 풍경화란 부드럽게 연속되는 공간과 빛에 따른 색채규범을 벗어나지 않은 채 첨경이나 첨가인물을 위한 무대가 되어야 한다고 주장하며 여전히 풍경화의 배경적 역할을 주장하였다.[7] 당시

5) Werner Busch, Caspar David Friedrich 〈Tetschner Altar〉, in: Kunsthistorische Arbeitsblaetter 1/01(2001), S.51

6) Werner Hofmann: Caspar David Friedrich. Naturwirklichkeit und Kunstwahrheit. C.H. Beck, München 2000, S. 46,

7) Sigrid Hinze, a.a.O., S.142

풍경화라는 장르에 대한 일반적인 개념은 풍경화가 화가 개인의 주관적 감성을 드러내기보다는 자연을 사실적으로 묘사해야 한다는 것으로 괴테가 프리드리히 풍경화의 알레고리적인 묘사에 대한 비판이기도 하였다. 괴테는 프리드리히의 풍경화의 독특성에 대해 놀라워하기는 하였으나, 다른 한편 그의 풍경화가 미지의 초월적인 세계를 향하고 있는 낯선 주관적인 감정을 드러내고 있는 것에 대하여는 부정적인 견해를 보였다.[8]

그럼에도 2년 후 프리드리히는 그리스도교적인 풍경화 〈거대한 산맥의 아침풍경〉을 발표하였다. 험난한 바위로 둘러싸인 바위산속의 암석의 꼭대기에 우뚝 솟아있는 십자가를 볼 수 있으며 그 위에 그리스도의 형상이 보인다. 계곡의 거대한 산맥과 그 끝에 보이는 겹겹이 늘어진 낮은 산들은 아침 안개와 구름이 혼재되어 마치 안개바다로 보인다. 산맥의 꼭대기에는 떠오르는 아침태양과 더불어 황금색의 십자가만 빛나고 있다. 이 그림에서 프리드리히는 겨울아침에 거대한 산맥에서 볼수 있는 광활하고 신비한 느낌의 안개와 구름 등의 풍경을 깊은 성찰을 통해 정적인 적막감으로 표현하며 그 속에 담겨진 초월성을 그리고자 했다. 이 성서적 풍경화는 프리드리히가 리젠게비르게(Riesengebirge)를 여행한 후 산악지방의 풍경을 그린 것으로 그는 자연에서 경험한 신의 표상을 십자가 책형이라는 도상과 연관시켜 그린 것이다. 훗날 그는 이 거대한 산맥의 풍경을 잊을 수 없다고 추억하며 순수한 풍경화로 반복하여 여러 번 다시 그리기도 하였는데 〈피어오르는 안개속 거대한 산맥의 풍경〉〈거대한 산맥을 기억하며〉등이 있다.

비평가 한네센(Hans Gerhard Hannessen)은 이 그림이 프리드리히가 산행 여행에서 경험한 개인적인 감정을 따라 그린 것으로, 십자가 책형의 그리스도가 존재하는 초월적인 장소와 측정할 수 없는 현세의 풍경에 대한 그의 경험이 같은 가치로 묘사되어 있다고 보았다.[9] 프리드리히의 초월적인 장소는 안개가 드리우며 신비로움을 더했는

---

8) Frank Buetter, Abwehr der Romantik, in: Goethe und die Kunst, hrsg. von Sabine Schulze, Hatje 1994, S. 461
9) Hans Gerhard Hannessen: Gemälde der deutschen Romantik in der Nationalgalerie Berlin,

데 프리드리히는 "한 장소가 안개로 덮혀 있다면 그것은 더욱 크고 더 숭고하게 보이며 상상력을 고양시키고 기대감을 일으킨다. 마치 베일을 쓴 소녀처럼"[10] 이라고 언급하여 안개나 구름으로 흐려진 대상들이 일으키는 신비로움이 깊은 종교적인 분위기를 느끼게 하는 역할을 하고 있음을 드러내었다.

프리드리히의 초월적 장소로서의 안개 낀 산 정상위의 그리스도의 십자가 책형은 자연의 신비주의와 프로테스탄트의 경건주의를 자연스럽게 드러내고 있다. 프리드리히의 풍경 속 광야의 신비주의를 느끼게 하는 회화들은 두려움과 경외심이 동시에 느껴지며 신의 초월성이 느껴진다. 그는 예술적 표현으로 인한 영적인 능력을 믿었기 때문에 다음과 같이 고백하였다. "인간의 절대 목표는 사람이 아니라 신, 무한이다. 애써야 할 것은 예술이지 예술가가 아니다. 예술은 무한하며, 예술가의 지식과 능력은 한정되어 있다."[11] 〈산중의 십자가: 체첸 제단화〉와 〈거대한 산맥의 아침풍경〉에는 험난한 산에서 홀로 외로이 십자가 책형을 당하는 그리스도를 작게 그려 먼 곳에서 상징적인 십자가를 바라보는 구도로 그렸는데 이런 구도는 낭만주의 화풍의 특징으로 기독교라는 울타리 안에서 안전할 수 있다는 믿음으로 해석되었다.

〈거대한 산맥의 아침풍경〉에는 그리스도 발아래 흰옷을 입은 여성이 십자가를 잡고 있는데 그녀의 오른손에는 십자가가 들려있다. 그녀의 왼쪽에는 검은 옷을 입은 남성이 있다. 이 설정은 교회의 성서적인 가르침을 따라 요한과 마리아를 그린 것이 아니라, 자신의 주관적인 감정에 따라 그린 것으로 1811년 드레스덴 아카데미에서 이 그림을 전시했을 때 여러 견해의 유추가 있었다. 한 비평가는 프리드리히의 지인

Frölich & Kaufmann, Berlin 1985, S. 26

10) Caspar David Friedrich, Aeuserungen bei Betrachtung einer Sammlung von Gemaehlden von groesentheils noch lebenden und unlaengt versorbenen Kuenstlern, zit.n. Sigrid Hinz(hrsg.) caspar david friedrich in Briefen und Bekenntnissen, München 1974 S. 88

11) Herrmann Zschoche: Caspar David Friedrich. Die Briefe. ConferencePoint Verlag, Hamburg 2006 S. 63

이 잡지사 '럭셔리 앤드 모던 저널'(Journal des Luxus und der Modern)에 편지를 보내, 이 그림에서 남성은 프리드리히 자신이고 여성은 그의 동료인 케르스팅(Kersting)이라고 언급했다.[12] 또 다른 프리드리히의 지인인 헬무트 보쉬-수판(Helmut Börsch-Supan)은 묘사된 부인은 전혀 현실적인 여성이 아니고, 믿음과 종교의 알레고리라고 주장하였다.[13] 미술사학자 클라우스 랑크하이트(Klaus Lankheit)는 이 그림에서 당시 신학자였던 슐라이어마허(Friedrich Schleiermacher))를 알아 볼 수 있다고 했는데, 여성은 프리드리히가 사랑했던 여인이며 그녀를 신 앞으로 인도한 것이라고 보았다.[14] 프리드리히의 풍경화는 알레고리적인 묘사로 인해 늘 창작이라는 호평과 장르의 파괴라는 혹평 사이의 경계에서 갈등의 고통을 감내해야만 했다.

프리드리히의 작품세계에서는 자연이 중심이 되어 표현되어있고 그의 작품에서 자연은 깊은 종교적 상징성을 가지고 있다. 프리드리히는 자연풍경을 묘사하며 신을 체험하는 장소로 그렸다. 예술을 신과 인간의 매개체라고 생각하였던 그는 "화가는 자신의 앞에 보이는 것만을 단순히 그리는 것뿐만 아니라, 자신 안에서 보는 것 또한 그려야 한다. 그러나 만약 그가 자신 안에서 아무것도 보지 못한다면 자신 앞에서 보이는 것을 그리는 것 또한 중지해야한다"며 예술가의 내적관조가 예술가의 의무임을 밝히고 있다.[15] 그리스도의 초월성을 자연에서 체험한 그는 풍경을 그리는 화가였음에도 불구하고 그리스도의 상징을 함께 그려 자연 속 신성을 발견하는 화가가 되었다.

12) Journal des Luxus und der Moden, 26. Band, Dresden 1811, S. 371
13) Helmut Börsch-Supan: Die Gemälde C. D. Friedrichs im Schinkel-Pavillon. Aus Berliner Schlössern, kleine Schriften, Band II, Berlin 1973, S. 21 ff.
14) Klaus Lankheit: C. D. Friedrich und der Neuprotestantismus, Deutsche Vierteljahresschrift für Literaturwissenschaft und Geistesgeschichte, 24. Jahrgang, 1950, S. 138
15) Caspar David Friedrich, Aeuserungen bei Betrachtung einer Sammlung von Gemaehlden von groesentheils noch lebenden und unlaengt versorbenen Kuenstlern, zit.n. Sigrid Hinz(hrsg.) caspar david friedrich in Briefen und Bekenntnissen, München 1974, S. 128

3. 2 죽음의 상징적 알레고리

1801년 프리드리히는 심각한 정신적인 문제로 우울증이 심화되어 자살을 시도했으며 1803년과 1805년 사이에도 그런 일이 있었다고 전해진다.[16] 주변인들에 의하면 1803년과 1804년 사이 그는 많이 아팠으며 당시 그의 작품에는 상실의 그림이 많았다고 한다. 그가 아팠던

(도 3) 프리드리히 〈떡갈나무 숲의 수도원〉 1810
유화, Staatliche Museen zu Berlin

이유는 가족의 연이은 죽음과 더불어 당시 프리드리히의 이성과의 사랑에 관한 것이었는데, 이루어 질 수 없는 자신의 형의 부인 카롤린느 바두아(Caroline Bardua)를 사랑한 것으로 보이며 프리드리히는 1804년에 신부 옷을 입은 그녀를 그렸다.[17] 이 후 그는 친구와 함께 여행을 시작했으며 그때 보고 체험한 자연을 드레스덴으로 돌아와 그렸는데 그 가운데 죽음의 의미를 상징적으로 보여주는 〈떡갈나무 숲의 수도원〉(도 3)이 있다.

프리드리히의 친구로서 의사이며 화가인 카루스(Carl Gustav Carus)는 〈떡갈나무 숲의 수도원〉을 보며 "이 작품은 모든 새로운 풍경화 가운데 아마 가장 깊은 의미를 지닌 시적인 예술작품이다"라고 극찬을 하였다.[18] 카루스(Carl Gustav Carus)에 의하면

---

16) Carsten Spitzer: Zur operationaliserten Diagnostik der Melancholie Caspar David Friedrichs. Ein Werkstattbericht. In: Matthias Bormuth, Klaus Podoll, Carsten Spitzer: Kunst und Krankheit. Studien zur Pathographie. Wallstein Verlag Göttingen 2007, S. 87

17) Helmut Börsch-Supan: Caspar David Friedrich. Gefühl als Gesetz. Deutscher Kunstverlag, Berlin 2008, S. 128

18) Carl Gustav Carus: Lebenserinnerungen und Denkwürdigkeiten. Gustav Kiepenheuer Verlag, 2 Bände, Weimar 1965/66, S. 230.

프랑스 조각가 당가르가 이 작품을 보고 "풍경화의 비극을 발견한 화가"라고 놀라 소리쳤다고 전했다.[19] 독일 낭만주의 시인 쾨르너(Theodor Körner)는 이 작품을 보고 "죽음의 풍경화"라고 언급하였다.[20]

〈떡갈나무 숲속의 수도원〉은 종교적으로 고무되어 있는 그림으로 거친 광야에 서있는 폐허의 수도원에서 거행되고 있는 장례식의 풍경을 보여주고 있는데 영적인 신앙체험의 장소로 특징되고 있다.[21] 황혼 무렵 앙상한 가지의 나무들로 가득 채워진 폐허가 된 숲속 수도원의 한 쪽에서는 고요하고 우울한 장례식이 거행되고 있다. 황량한 겨울에 적막감이 감도는 황폐한 숲속에서의 장례식은 죽음과 마주하게 되는 인간의 두려움과 절망을 느끼게 한다. 배경에 보이는 폐허가 되어 교회의 극히 일부만 보존되어 있는 고딕건축양식의 교회는 실제로 존재했던 그라이프스발트(Greifsbald) 근처의 엘데나(Eldena)에 있는 시토수도원(Cistercian)의 서쪽 벽을 그린 것으로 프리드리히는 이 교회를 죽음의 상징으로 작품에 반복하였다

〈눈속의 수도원 무덤〉(도 4)에서 보듯이 남아있는 작은 문은 마치 삶과 죽음의 사이를 가르는 입구의 역할을 하고 있다. 수도사들이 들고 가는 관은 현재의 삶에서 누구나 지나야만 하는 사후의 문을 향하여 가고 있는 것이다. 프리드리히의 작품에 자주 등장하는 떡갈나무는 고대 켈트족들에 의해 숭배되었던 것으로 이교도의 상징으로 말하기도하나, 십자가를 만드는 나무이기 때문에 기독교의 상징이 되어있다. 독일에서 떡갈나무는 인내로 역경을 극복하는 기독교인들의 신념과 미덕을 나타내기도 한다.[22] 전체적으로 이 그림은 짙은 안개가 대지를 덮고

19) Carl Gustav Carus, a.a.O. 231

20) Theodor Körner's Sämmtliche Werke in einem Band. Reclam, Leipzig 1988, S. 96

21) Nina Hinrichs: Caspar David Friedrich – ein deutscher Künstler des Nordens. Analyse der Friedrich-Rezeption im 19. Jahrhundert und im Nationalsozialismus. Verlag Ludwig, Kiel 2011, S.88

22) George Ferguson, Signs & Symbols in Christian Art(New York, Oxford Univ. p. 43

있어 형태도 분명하지 않은 안개 속에서 모든 것을 잃어버린 상태이다. 화면의 구성은 어두운 대지로부터 계속적으로 부드럽고 희미한 하늘로 밝아지고 있는데 영생에 대한 그의 희망을 볼 수 있다.

(도 4) 프리드리히 〈눈속의 수도원 무덤〉 1819
유화, 소실

프리드리히는 이 작품에 대하여 1809년에 슐츠(Johannes Schulze)에게 다음과 같은 편지를 썼다: 지금 저는 대형 작품을 작업하고 있습니다. 그 안에 무덤의 비밀이 들어있습니다. 그리고 미래를 묘사하려고 생각하고 있습니다. 단지 믿음으로만 보이겠지만요 .미래에는 알게 될 것입니다. 그리고 인간의 유한한 지식에 대하여 영원히 수수께끼로 남게 될 것입니다. 내가 묘사하려고 하는 것을 어떻게 묘사하려고 하는지 역시 수수께끼입니다.[23] 프리드리히가 편지에서 말하고자 했던 것은 아직 존재하고 있지만 언젠가 죽을 수 밖에 없는 죽음을 앞둔 자신에 대한 이야기였다.

이 그림은 논쟁의 여지없이 죽음에 대해 논하고 있는데 프리드리히는 '죽음의 풍경'을 장엄한 속에 그린 것이다.[24] 프리드리히가 무덤이라든지 교회의 폐허를 그리는 것은 그의 오래 동안의 모티브였다. 프리드리히의 풍경화에는 죽음과 연관된 많은 그림들이 있는데 그의 종교적인 체험과 더불어 그의 가정사와도 깊은 관계가 있다. 프리드리히는 엄격한 루터파 교도였던 아버지와 따뜻했던 어머니 밑에서

23) Brief vom Februar 1809 an Johannes Schulze, in: Sigrid Hinz, *Caspar David Friedrich in Briefen und Bekenntnissen*, München 1974, S. .87
24) Theodor Körner's Sämtliche Werke in einem Band, Leipzig o.J., Reclam Verlag, S. 96

(도 5) 프리드리히 〈무덤에서 잠자는 소년〉 1801 목판화

(도 6) 프리드리히 〈황혼녘의 순례〉 1801 스케치

열 남매 중 여섯째로 태어났다. 그의 부친 아돌프 고틀립 프리드리히(Adolph Gottlieb Friedrich)는 비누와 초를 만드는 단순한 제조공이었으며 프리드리히는 아버지로부터 프로테스탄트적인 엄격한 종교교육을 받았다.[25] 그의 불행은 일곱 살 되던 해부터

25) Helmut Börsch-Supan/Karl Wilhelm Jähnig, Caspar David Friedrich, Gemälde,

시작되었는데, 먼저 어머니를 잃었고 이후로 사랑하는 두 누이를 차례로 잃었다. 그가 가장 충격을 받았던 사건은 동생 요한 크리스토퍼(Johann Christoffer)의 죽음이었는데, 함께 스케이트를 타다가 자신이 보는 앞에서 동생이 얼음에 빠져 죽는 일을 겪을 때였다. 당시 프리드리히는 그 동

(도 7) 프리드리히 〈겨울〉 1808
유화, 소실

생을 구하려고 애썼으나 실패하였다고 알려져 있다. 프리드리히는 그 동생을 위하여 〈무덤에서 잠자는 소년〉(도 7)이라는 제목으로 목판화를 완성했는데 꽃으로 장식된 무덤위에 십자가를 세우고 그 옆에서 잠든 소년은 프리드리히 자신이었다. 프리드리히는 1804년에 〈나의묘지〉(소실)라는 제목으로 스케치를 남기기도 하였다.[26] 프리드리히는 생전에 105통 정도의 편지를 썼는데 그 안에는 논쟁의 여지가 많은 글이 들어있다. 그 가운데 스스로 죽음에 관한 시를 지었다는 것도 연이은 가족들의 죽음으로 인한 자신의 다가올 죽음에 대해 그가 얼마나 두려워하고 동시에 극복하고자 했는지 알 수 있다.[27] 이러한 가정사로 인해 프리드리히의 작품은 심리병리학적으로 분석되기도 하는데 프리드리히의 작품에서 공통적으로 느껴지는 어둡고 외로운 분위기는 이러한 불행했던 그의 유년 시절의 기억이 작품에 투영되어 있기 때문이다.

Druckgraphik und bildmäβige Zeichnungen, Prestel Verlag, München 1973, S. 212

26) Christina Grummt: Caspar David Friedrich. Die Zeichnungen. Das gesamte Werk. 2 Bde., München 2011, S. 368

27) Sigrid Hinz (Hrsg.): Caspar David Friedrich in Briefen und Bekenntnissen. Henschelverlag Kunst und Gesellschaft, Berlin 1974, S. 82

프리드리히는 자신의 죽음이 구원받을 수 있음에 대하여 오래전부터 종교적인 운명으로 받아들였다. 그는 "신은 스스로 우리의 고통과 근심의 확실한 씨를 기쁨으로 심의셨다. 사건들, 전혀 마음에 들지 않는 혐오스러움 사건으로 보이는 것들이 공동체를 위한 목적으로 발생하는데 그로부터 삶과 죽음이 탄생하는 것이다"[28] 라며 인간의 죽음에 대한 공포와 고통을 신의 뜻으로 받아들였다. 따라서 그의 작품에는 광야에 폐허로 남아있는 고딕교회들이 자주 나타나는데 〈겨울〉1808 〈꿈꾸는 사람〉1840 〈달빛비추는 폐허의 오빈(Obyn)〉에서도 황량한 광야에 극히 일부만 보존되어 있는 고딕건축양식의 교회가 보인다. 이러한 붕괴된 고딕 수도원의 폐허는 어두운 과거를 회상하는 장면으로 보이며 곳곳에 기울어지고 쓰러진 묘석이 있는 묘지의 디테일 한 묘사를 통해 프리드리히는 프로테스탄트임을 밝히고 있다.[29]

〈떡갈나무 숲의 수도원〉은 〈바닷가의 수도승〉과 함께 1810년에 베를린 아카데미에 함께 전시되었고 두 작품 모두 프로이센의 왕이었던 프리드리히 빌헬름3세의 소유가 되었다. 그 사실이 알려지면서 프리드리히는 명성을 얻었다.[30] 이 그림이 왕실의 소유가 된 이유 역시 죽음과 연관된 것이다. 당시 15세 소년이었던 프로이센의 왕자 빌헬름4세의 어머니가 그 시기에 서거했는데 왕자가 이 그림을 보고 죽음과 연관된 종교적인 내용을 알아채고 사들일 것을 권유했다고 알려졌다.[31] 훗날 빌헬름 4세는 프리드리히의 드레스덴 작업실을 방문하기도 했다.

프리드리히의 그림에 무수히 나타나는 죽음, 무상, 무덤에 대해 그 이유를 묻자 프리드리히는 "언젠가 영원히 살기위하여, 인간은 종종 죽음에 자신을 맡겨야만 한

---

28) Marianne Bernhard (Hrsg.): Caspar David Friedrich. Das gesamte graphische Werk. Mit einem Nachwort von Hans Hofstätter. Verlag Rogner & Bernhard, München 1974, S. 7

29) Herrmann Zschoche: Caspar David Friedrich. Die Briefe. ConferencePoint Verlag, Hamburg 2006 S. 64

30) Werner Hofmann: Caspar David Friedrich. Naturwirklichkeit und Kunstwahrheit. C.H. Beck, München 2000, S. 53

31) Werner Hofmann: a.a.O., 53

다"[32]고 답하였는데 이는 영원한 삶이란 죽음을 통해서만 가능한 것으로, 이러한 사고는 삶과 죽음 그리고 영생이라는 기대를 분명하게 드러내고 있는 것이다.

3. 3. 순례의 여정

자살을 시도한 이후 프리드리히는 방랑여행을 다녀왔으며 1805년 〈황혼녘의 순례〉(도)를 그렸다. 황금빛 언덕위로 열을 지어 걸어가는 순례자들은 완만한 경사가 있는 언덕아래의 십자가책형을 향해 참회의 순례를 하고 있다. 순례자들은 두 그루의 커다란 나무로 된 입구를 통과 하며 천천히 내려오고 있다. 완만한 경사가 있는 언덕길과 앙상한 나무 그리고 오래된 무덤은 과거 교회가 존재하고 있었던 장소임을 알 수 있다. 수도사들이 순례자의 모습으로 십자가 고난의 그리스도의 길을 재현하는 것은 수난에 참여할 것을 권했던 경건주의를 반영하고 있는 것이다. 프리드리히가 살았던 시대에는 교인들이 묘지로 십자가상을 나르는 것을 그리스도의 고난에 동참하는 것으로, 매장하고 다시 교회로 돌아오는 과정을 부활의 의미로 받아들이는 전례가 있었다. 프리드리히는 이러한 전통을 〈황혼녘의 순례〉로 보여 주고 있는데 화가 자신을 포함하여 일상적인 삶속에서 참회하며 스스로 신앙을 지키고자 하는 사람들의 신앙을 반영한 것이다. 순례의 과정을 자연의 동산에서 실행하는 것은 프리드리히의 범신론적인 신앙과 연계 지을 수 있는데 그는 모든 자연에 신이 존재한다고 믿었기 때문에 가능했다.[33]

이후 제작된 작품들은 폐허가 되어 일부만 남아있는 고딕 수도원을 향해 순례를 하는 노인이 주제였다. 작품 〈겨울〉(도 7)에서는 인간의 삶의 여정의 끝을 향해가는 순례자의 모습을 보여주고 있다. 눈 덮인 산골짜기에 험난한 삶의 여정으로 등이 굽은 노인이 지팡이에 의지하여 뒷모습을 보이며 메말라 죽어서 굽어있는 떡갈나무들 사이로 걸어가고 있다. 그는 끝없이 눈 덮인 벌판을 바라보며 폐허가 된 수도원을 향

---

32) Caspar David Friedrich, Aporism ueber Kunst und Leben, zit. n. Sigrid Hinz, a.a.O., S.82
33) Klaus Lankheit, Caspar David Friedrich und der Neuprotestantismus. In: Deutsche Vierteljahresschrift für Literaturwissenschaft und Geistesgeschichte 24, 1950, S. 130 – 133

(도 8) 프리드리히 〈겨울풍경〉 1810 유화
Staatliches Museum zu Schwerin

하여 가고 있는데 순례의 상징이 확실하게 드러나고 있다. 그림이 전체적으로 어둡고 우울함을 드러내고 있으나 한줄기 희망을 안고 수도원으로 향하고 있는 것이다. 상실과 실망의 표현인 등이 굽은 노인 순례자는 그의 주된 모티브였는데 〈겨울풍경〉(도 8)에서도 동일인으로 보이는 노인이 죽어서 기괴한 형태가 되어 옆으로 늘어져 있는 나무들 사이를 걸어가고 있다. 어두운 푸른색으로 덮인 하늘은 어떠한 섬광도 없이 절망적인 삶에 작용하고 있는데 죽음을 향하여 외로운 길을 가야만 하는 노인의 절망적인 삶의 정경을 보여주고 있다.

이 등이 굽은 노인 순례자는 마침내 〈교회가 있는 겨울 풍경〉(도 9)에서 자신의 뜻을 이룬 것 같다. 노인 순례자는 암벽에 기대어 위로 곧게 솟은 소나무로 둘러싸여

(도 9) 프리드리히 〈교회가 있는 겨울풍경〉 1811 유화
National Gallery in London

있는 십자가를 향하여 두 손 모으고 기도하고 있는데 마치 순례자가 목적지에 도착한 것처럼 보인다. 〈겨울〉과 〈겨울풍경〉에서 등이 굽은 노인 순례자가 버린 것으로 보이는 지팡이 2개가 눈 덮인 대지위로 덩그마니 널려 있다. 어슴프레 붉은빛이 도는 저녁노을은 배경에 어렴풋이 서있는 고딕 교회를 알

아볼 수 있게 하는데 안개 속에서 신비롭게 보인다. 그 교회는 5개의 첨 탑(turm)이 있는 고딕교회로 첨탑 끝에는 십자가가 위로 솟아있음을 분명하게 볼 수 있다. 이 교회는 하늘로 곧게 솟아있는 소나무와 함께 "근원으로 향한 것은 신성의 소개이며 신성이 존재하는 곳"임을 보여주고 있다.[34] 프리드리히의 작품에 자주 나타나는 안개 속에 가린 신비로운 교회는 원근법상 먼 거리에 있거나 폐허로 나타나는데 이는 "시각적인 교회는 죽었고 오직 마음속에 있는 보이지 않는 교회, 혹은 자연을 통해 나타나는 교회만이 살아있다"[35]는 생각을 반증하고 있는 것이다. 이것은 프리드리히가 추구했던 순례의 경건주의를 보여주고 있는 것이다.

고딕교회의 십자가는 신성의 상징으로 죽음의 흑암기로부터 하늘의 세계를, 영원한 삶을 기다리는 그리스도가 다시 돌아올 것이라는 믿음의 상징이다. 교회에 도달하기 전 암벽에 기대어 십자가를 바라보며 기도하는 노인은 그리스도의 십자가를 통한 영생을 기대하고 있는 것이다. 미술비평가 메르케는(peter merke) 고딕건축물은 역사의 진행과 함께 고통스러운 과거의 현재를 상징하면서 더 나은 미래에 대한 희망을 일깨운다고 언급하였다.[36] 이러한 방법으로 프리드리히는 그림의 배경에 고딕교회를 시리즈로 그렸는데 〈그리스도교회의 비전〉(Vision der christlichen Kirche)(1812), 〈산속의 십자가와 교회〉(Kreuz und Kathedrale im Gebirge)(1812) 혹은 교회〈Die Kathedrale〉(um 1818)등 여러 작품에서 확인할 수 있다. 위의 작품들의 공통점을 통해 프리드리히는 루터의 십자가신학을 깊게 생각했으며 화가의 종교적인 미학으로 받아들였음을 알 수 있다.[37]

34) Hans Joachim Neidhardt: Angst und Glaube. Zur Bildstruktur und Deutung von C.D. Friedrichs Bildpaar Winterlandschaft. In: Kurt Wettengl (Hrsg.), Caspar David Friedrich – Winterlandschaften. Edition Braus, Heidelberg 1990, S. 67

35) Charles Rosen &Henri Zerner, Romanticism and Realism(New York, W.W. Norton and ompany 1984, P.58

36) Peter Maerker, Geschichte als Natur, Yntersuchungen zur Entwicklungsvoerstellung bei caspar david Friedrich, Diss. Kiel 1974 S. 83-87

37) Karl Ludwig Hoch: Zur Ikonographie des Kreuzes bei C. C. Friedrich. In: Ausstellungskatalog, Dortmund 1990, S. 71

(도 10) 프리드리히 〈바닷가의 수도승〉 1810 유화
Staatliche Museen zu Berlin

풍경화에 종교적인 특징을 투영한 프리드리히는 자신의 이름을 알릴 기회를 얻었고 그는 계속하여 자연을 탐구하여 바다풍경에 영적 관조가 담겨 있는 순례자를 그렸다. 바닷가의 수도사〉(도 10)는 거대하고 영원한 자연 앞에 마주 선 왜소하고 작은 수도사가 인간의 유한성을 체험하는 뒷모습을 묘사한 것이다. 화면의 대부분을 차지하는 경계가 구분되지 않는 하늘과 구름 그리고 검은 바다의 수평선적인 구성은 화면 밖까지 확장되어 무한함을 보여주며 초월성을 느끼게 만든다. 금방 폭풍우가 쏟아질 것 같은 먹구름의 하늘을 바라보며 뒷모습을 보이는 왜소한 수도승은 인간의 고독과 소외와 현실세계에 대한 실망을 종교적인 모티브로 극복하려 했음을 알 수 있다.[38] 프리드리히는 뒷모습의 사람들을 연작으로 그렸는데 순례를 하며 자연 풍경에서 느낀 적막하고 광활하게 펼쳐진 대자연을 홀로 마주보고 선 고독한 존재로서 자연의 숭고함과 위대함에 대한 경외심이 드러나 있다. 〈안개 바닷가의 방랑자(도 11)를 비롯하여〈항구의 배들〉〈도시에 뜨는 달〉등에 나타나는 뒷모습의 사람들은 모두 명상하며 자연을 응시하는 숙고에 잠겨있다. 〈바닷가의 수도사〉가 〈떡갈나무 숲의 수도원〉과 함께 드레스덴 아카데미에 전시되었을 때 관람자들은 바닷가의 수도사가 명상 이후 자살을 시도하여 떡갈나무 수도원에 묻혔다는 상상으로 읽혀지기도 하였는데 프리드리히가 두 작품을 동시에 같은 곳에서 전시해야한다고 주장한데서 비롯되었다. 같은 해 프리드리히가 그린 〈자화상〉(도 12)에서 그는 자신을 수도사로 동일시하였기 때문에[39] 뒷모습의 주인공이 누구인가에 대하여는 많은 논쟁이 있었으나, 이 그림에서 그의 정체성을

38) Caspar D. Friedrich, Die Erfindung der Romantik München 2006, S. 86
39) Helmut Börsch-Supan/Karl Wilhelm Jähnig: Caspar David Friedrich. Gemälde, Druckgraphik und bildmäß ige Zeichnungen, Prestel Verlag, München 1973, S. 303

(도 11) 프리드리히 〈안개 바다위의 방랑자〉 1818 유화   (도 12) 프리드리히 〈자화상〉 1810 스케치

찾는 것은 무의미하다. 뒷모습을 보이는 이유는 바로 익명성이기 때문이다. 프리드리히는 "너의 육체적인 눈을 감으라. 그러면 너는 정신적인 눈을 가지고 우선 너의 모습을 보게 된다"[40] 라고 언급했는데, 세계를 향한 두 눈이 외부를 관찰하는 것에 그치지 않고 내면세계에 대한 인식까지도 깨우고 있음을 암시하고 있다. 따라서 자연 속 뒷모습의 사람들은 그리는 사람의 내면과 그려진 사람 그리고 관람자와의 의미적 관계를 연관시키는 메타퍼이다.

끊임없이 반복했던 프리드리히의 방랑은 단순한 여행이 아니라 거친 광야와 같은 자신의 삶을 극복하기 위한 과정에서 발생한 내면적인 고통의 순례를 시각적으로 표현하기 위한 의미를 갖는다.

---

40) Zit. nach Sigrid Hinz, a.a.O., S.92

4. 결론

본 연구에서 프리드리히의 풍경화를 그리스도교주제인 '광야'와 연관시킬 수 있었던 것은 그의 작품에 나타난 다의적인 알레고리 때문에 가능했다. 프리드리히는 캔버스에 단순한 풍경화를 그린 것이 아니라 자신의 신앙적 체험을 근간으로 다양한 성서적 특징을 연관시켜 '그리스도교적인 풍경화'로 완성시켰다. 그의 '그리스도교적인 풍경화'에 드러나는 광야와의 연관성은 세 가지의 알레고리적인 시각으로 특징지을 수 있다.

먼저 자연에서 초월적인 신의 존재를 발견한 범신론자 프리드리히는 풍경화에 대한 인식의 전환을 가져온 화가였다. 그에게 있어서 자연은 예술가에게 무한한 영감을 주는 장소이며 예술가는 그 자연 안에 숨겨진 하느님의 비밀인 상징을 전달하는 임무를 맡는 것이 사명이라는 의도를 전달하고 있다. 그는 〈체첸 제단화〉와 〈거대한 산맥의 아침풍경〉을 통해 고요하고 적막한 곳에서 외로운 그리스도의 죽음의 장소를 신성하게 묘사하며 예수의 죽음이 그리스도의 신으로 부활하는 초월성이 완성되는 곳으로 보았다.

둘째, 그에게 있어서 그리스도는 삶과 죽음 그리고 부활이라는 상징적 의미이며, 자연은 삶과 죽음 그리고 영생을 기대하는 현실적인 장소이기도 하다. 그의 풍경화는 예술가의 정신적 산물로서, 자연현상의 순간들이 내적인 눈을 통해 완성된 공간이다. 눈 덮인 거친 광야에 폐허가 된 고딕 수도원의 묘지를 향해가는 수도자들, 순례자들을 통해 인간의 유한성과 신의 무한성을 연결 짓기도 하였다. 뿐만 아니라 그의 작품은 삶의 허무와 죽음 그리고 폐허가 된 고딕수도원의 십자가를 통해 역설적인 삶의 의지를 보여주고 있다.

셋째, 신의 의도가 투영되어 있는 광야는 순례자가 삶의 과정에서 하느님을 만나는 장소로 머나먼 고통의 길이자 멀지 않은 곳에서 가나안이 있다는 표증이기도 하다. 그 과정은 그리스도의 고난을 재현하며 따라가는 제례의식을 통해 연관 지을 수 있다. 프리드리히는 자신의 방랑을 그리스도의 고난을 체험하기 위한 순례의 통로로 사용했는데 이는 마치 현대인들이 그리스도의 삶의 여정을 따라 여행하며 그리스도의 십자가 책형과 부활의 느낌을 공감하고자 하는 것과 같다. 또한 프리드리히는 자연을 명상적으로 바라보며 뒷모습을 보이는 순례자를 통하여 자유로운 정신의 무한한 활동을 자극하면서 주체이자 객체인 자아에 대한 숙고를 하게 만들었다. 순례자는 뒷모습을 보이며 응시를 통해 그리스도교적인 예술가의 알레고리를 투영하고 있다.

프리드리히는 자연 풍경에서 과거와 현재를 그리고 미래를 종교적인 패턴으로 알레고리로 연결 지어 광야의 다의성에 단초를 제공하였다는데 그 의미가 있으며 또 다른 해석의 가능성을 열어두었다.

주제어(Keyword): 카스파 다비드 프리드리히(Caspar David Friedrich), 광야(wilderness) (Landscape) 그리스도교적인 풍경(christliche Landscape), 초월적인 풍경(transcendental Landscape)

참고문헌

Caspar David Friedrich, Aeuserungen bei Betrachtung einer Sammlung von Gemaehlden von groesentheils noch lebenden und unlaengt versorbenen Kuenstlern, zit.n. Sigrid Hinz(hrsg.) caspar david friedrich in Briefen und Bekenntnissen, München 1974

Carsten Spitzer: Zur operationaliserten Diagnostik der Melancholie Caspar David Friedrichs. Ein Werkstattberiecht. In: Matthias Bormuth, Klaus Podoll, Carsten Spitzer: Kunst und Krankheit. Studien zur Pathographie. Wallstein Verlag Göttingen 2007, S. 87

Caspar D. Friedrich, Die Erfindung der Romantik Gebundene Ausgabe München 2006

Caspar David Friedrich, *Aporism ueber Kunst und Leben*, zit. n. Sigrid Hinz, Caspar David Friedrich in Briefen und Bekenntnissen. München 1974

Carl Gustav Carus, *Lebenserinnerungen und Denkwürdigkeiten*. Gustav Kiepenheuer Verlag, 2 Bände, Weimar 1965/66

Charles Rosen &Henri Zerner, *Romanticism and Realism*(New York, W.W. Norton and ompany 1984

Christina Grummt, *Caspar David Friedrich. Die Zeichnungen. Das gesamte Werk*. 2 Bde., München 2011

Detlef Stapf, *Caspar David Friedrichs verborgene Landschaften. Die Neubrandenburger Kontexte*. Greifswald 2014

Frank Buetter, *Abwehr der Romantik*, in: Goethe und die Kunst, hrsg. von Sabine Schulze, Hatje 1994

George Ferguson, *Signs & Symbols in Christian Art*(New York, Oxford Univ. 1988

Hans Gerhard Hannessen: Gemälde der deutschen Romantik in der Nationalgalerie Berlin, Frölich & Kaufmann, Berlin 1985

Hans Joachim Neidhardt, *Angst und Glaube. Zur Bildstruktur und Deutung von C.D. Friedrichs Bildpaar Winterlandschaft*. In: Kurt Wettengl

(Hrsg.), Caspar David Friedrich – Winterlandschaften. Edition Braus, Heidelberg 1990

Helmut Börsch-Supan, Die Gemälde C. D. Friedrichs im Schinkel-Pavillon. Aus Berliner Schlössern, kleine Schriften, Band II, Berlin 1973

Helmut Börsch-Supan/Karl Wilhelm Jähnig, *Caspar David Friedrich. Gemälde, Druckgraphik und bildmäß ige Zeichnungen*, Prestel Verlag, München 1973

Helmut Börsch-Supan, *Caspar David Friedrich. Gefühl als Gesetz*. Deutscher Kunstverlag, Berlin 2008

Herrmann Zschoche, *Caspar David Friedrich. Die Briefe*. Conference Point Verlag, Hamburg 2006

Journal des Luxus und der Moden, 26. Band, Dresden 1811, S. 371

Katalog zur Ausstellung Carl Gustav Carus. *Natur und Idee*. Deutscher Kunstverlag, Dresden 2009

Karl Ludwig Hoch, *Zur Ikonographie des Kreuzes bei C. C. Friedrich*. In: Ausstellungskatalog, Dortmund 1990

Klaus Lankheit, *Caspar David Friedrich und der Neuprotestantismus*. In: Deutsche Vierteljahresschrift für Literaturwissenschaft und Geistesgeschichte 24, 1950

Karl-Friedrich Hoch, *Zur Ikonographie des Kreuzes bei C.D. Friedrich*. In: Kurt Wettengl (Hrsg.), Caspar David Friedrich – Winterlandschaften. Edition Braus, Heidelberg 1990

Marianne Bernhard (Hrsg.), *Caspar David Friedrich. Das gesamte graphische Werk. Mit einem Nachwort von Hans Hofstätter*. Verlag Rogner & Bernhard, München 1974

Nina Hinrichs, *Caspar David Friedrich – ein deutscher Künstler des Nordens. Analyse der Friedrich-Rezeption im 19. Jahrhundert und im Nationalsozialismus*. Verlag Ludwig, Kiel 2011

Paris H. (i. e. Janette von Haza), *Erste Eindrücke eine Laien auf der ersten Leipziger Kunstausstellung* 1837. Leipzig

Peter Maerker, *Geschichte als Natur, Yntersuchungen zur*

Entwicklungsvoerstellung bei caspar david Friedrich, Diss. Kiel 1974

Sigrid Hinz, *Caspar David Friedrich in Briefen und Bekenntnissen.* München 1974

Theodor Körner's Sämmtliche Werke in einem Band. Reclam, Leipzig 1988

Werner Busch, *Caspar David Friedrich 〈Tetschner Altar〉* in: Kunsthistorische Arbeitsblaetter 1/01(2001)

Werner Busch, *Caspar David Friedrich. Ästhetik und Religion.* Verlag C. H. Beck, München 2003

Werner Hofmann, *Caspar David Friedrich. Naturwirklichkeit und Kunstwahrheit.* C.H. Beck, München 2000

A Study of the Various Allegories of the 'Wilderness' in Caspar David Friedrich's Landscapes

Hyang-Sook, Kim (Hongik University)

This thesis is a study of the various interpretations of the 'wilderness' in the landscapes of the German Romantic astist, Caspar David Friedrich (1774-1840).

One of the artistic expressions of a wilderness is the landscape. A landscape painting mostly takes its theme from a scenary, but once we project various religious characteristics onto the landscape, it provides us with numerous possibilities of interpreting the landscape. The 19th century German Romantic artist Friedrich included Christian characteristics, such as the crucifixion, a deserted monastery, pilgrims, and death in his landscape paintings. The various allegories in his paintings made it possible to associate his landscape paintings with the Christian theme the 'wilderness.' Friedrich did not paint ordinary landscape paintings, but used his religious experiences to include diverse biblical features in them, thus, turning them into 'Christian landscapes.' The connection between the wilderness and the 'Christian landscape' can be characterized into three allegoric perspectives.

First, as a pantheist who discovered God's transcendental presence in nature, Friedrich brought change onto the perception about landscapes. To him, the nature stands as a place of infinite inspiration for artists. Therefore, artists have a duty to deliver the hidden symbols of God to the audience through their work. Through his 〈Tetschener Altar〉 and 〈Morgen landscape im Riesengebirge〉 Friedrich portrays the desolated place of Christ's lonely death as sacred, and sees it as the place where Christ's transcendency is perfected by his resurrection.

Second, Friedrich understood Christ as a symbol of life, death, and resurrection, and thus, nature was a practical place to anticipate life, death, and eternity. His landscape is an artist's spiritual product, showing a space perfected through the realistic moments of nature, observed with the inner eye. His 〈떡 갈나무 숲 속의 수도원〉 series illustrate the futility of life and death, as well as the paradoxical will for life, through the funeral at a deserted Gothic monastery and the cross.

Finally, the wilderness is a place of God's intention. It is the place where pilgrims meet Him, but is a place of much suffering, too. The wilderness also serves as a symbol of the Land of Promise, nearby. The process of wandering can be linked to the reproduction of rituals that illustrate Christ's suffering. Furthermore, Friedrich reflects a Christian artist's allegory by illustrating the back of an anonymous monk who is gazing at the nature during his pilgrimage.

Friedrich provided the audience with grounds of various interpretations of the 'wilderness' through nature. He presents the past, present, and future in his landscapes with religious patterns, linking them to allegories. But, his works are also open to further different interpretations.

현대미술에 나타난 광야의 재해석

한의정(홍익대학교)

Ⅰ. 들어가며

출애굽한 이스라엘 백성들이 40년 광야생활을 한지 3천년도 훨씬 지났다. 예수님이 광야에서 금식하고 시험을 받으신 지도 2천년이 되어간다. 오늘날 글로벌 네트워크 시대 또는 제4차 산업혁명 시대를 누리고 있는 우리들은 광야나 사막과는 거리가 먼 대도시에서 최첨단 문명을 누리며 자유롭게 살고 있다고 느낀다. 그러나 과연 그러한가? 광야는 현재 우리가 살고 있는 터전과는 다른 곳인가? 순례의 길을 떠나듯이 문명과 동떨어진 과거의 어느 장소로 가야 만날 수 있는 곳이 광야인가? 흔히 이해하듯이 광야가 고난과 시험의 장소라면 왜 우리는 영성을 회복하기 위해 그러한 광야로 나아가야 하는가? 먼 곳으로 길을 떠나지 않아도 우리가 현재 살고 있는 장소에서 겪는 고난과 시험은 이스라엘 백성과 예수가 네게브(Negev) 사막에서 경험한 것들과 그리 다르지 않다.[1] 현대인이 살고 있는 장소는 사막이 아닐지라도 우리의 삶은 광야 생활과 다름없이 늘 먹을 것과 마실 것을 걱정하며, 풍요롭지 못한 현재보다 과거가 좋았더라 후회하기도 하고, 불확실한 미래를 향해 가는 길에 대한 의심을 품고 있다. 예기치 못한 재난이 닥치기도 하며, 더 나은 삶을 위한 유혹들을 끊임없이 받는다. 고난과 시험 앞에 선 우리는 어떤 태도를 취하는가? 이스라엘 백성처럼 원망과 불평을 쏟아놓기도 하지만, 또 한편으로는 이 고난의 순간에 하느님이 개입해주시길, 내가 서 있는 이 땅에서 하느님의 임재가 경험되길 기도하고 있지 않은가?

현대미술의 다양한 주제와 표현들 가운데 이러한 광야 상태를 경험하는 현대인의 모습을 찾아보는 것은 어렵지 않다. 도시를 힘들게 걸어가는 행위를 반복하는 프란시스 알리스(Francis Alÿs)의 퍼포먼스에서 우리는 사회 속 인간, 공동체에 속한 인간의 모습을 볼 수 있다. 적절한 댓가를 받을 수 없는 무의미한 노동을 계속해야 하는 현대인을 빗댄 〈실천의 모순 1: 때로는 무엇을 하는 것이 무의 결과를 낳는다 Paradox of Praxis 1(Sometimes Doing Something Leads to Nothing)〉(1997), 〈믿음이 산을 옮길 때 When Faith Moves Mountains〉(2002) 등에서 알리스는 도시와 인간, 노동의 허와 실, 예술과 정치에 대하여 생각하게 해준다. 뿐만 아니라, 알리스가 '걷기'라는 일상적 행위를 고행으로까지 확장시켰을 때, 우리는 그의 걷기 노동을 은유적 광야를 걷고 있는 현대인의 모습으로 확장시켜볼 수 있을 것이다.

광야는 정상이 보이는 산과 같이 정복할 수 있는 대상이라기보다는 끝이 보이지 않는 대자연이며, 여기를 언제 탈출할지 우리는 알 수 없다. 그렇기에 이 길을 인도해주는 목자가 필요하며, 만나와 같은 은혜의 양식이 필요한 곳이다. 그러나 빌 비올라(Bill Viola)의 작품 〈기로 Crossroads〉(2014)에서 보이듯이 현대인들은 광야에서 어디

---

1) 출애굽 후 이스라엘 백성들이 행진하며 체류했던 광야는 수르 광야(출 15:22), 신(Sin) 광야(출 16:1), 시내 광야(출 19:1), 바란 광야(민 13:26), 신(Zin) 광야(민 20:1), 가데스 광야(시 29:8), 에담 광야(민 33:8)이다. 수르 광야에서는 하느님이 쓴물을 단물로 바꿔주셨고, 신 광야에서는 만나와 메추라기를 주셨으며, 시내 광야에서는 십계명을 받았지만, 금송아지를 만들어 섬기는 죄를 범하기도 한다. 예수님이 금식하고 시험받으신 곳은 유대 광야로 세례 요한이 천국복음을 전한 곳이자, 다윗 왕이 손을 높이 들고 주를 찬양(시편 63편)한 곳이기도 하다. 본고에서 인용한 성경은 대한성서공회 발행 〈성경전서 개역개정판〉(2005년 11월 4판)이다.

로 가고 있는지 어디로 가야 하는지 모르는 채 걷고만 있다. 가나안 땅과 같은 목적지를 향해 가는 것이 아니라 중간에 처음 출발지점으로 되돌아가버린다. 어쩌면 처음부터 목적지가 없는 것인지도 모른다. 〈우리는 날마다 나아간다 Going Forth By Day〉(2012)에서 보이는 사람들도 정처 없이 숲 속을 줄지어 걸어가다 재난을 만나고, 잠에 취해 부활하는 예수를 목격하지도 못한다. 삶과 죽음이 물의 순환처럼 돌고 도는 모습을 통해 비올라는 기독교에서 강조하는 영원의 세계가 아닌, 니체가 말하는 영원회귀를 말하는 듯하다. 그렇다면 과연 우리에게 광야 탈출의 길은 없는 것일까? 본고에서는 알리스와 비올라의 작품에 나타난 광야에 있는 현대인들의 모습을 통해 이러한 질문들에 대해 생각해보고자 한다.

II. 고행의 일상: 프란시스 알리스

프랑스의 철학자이자 역사학자인 미셸 드 세르토(Michel de Certeau)는 『일상생활의 실천』(1984)에서 도시를 보는 두 가지 방식에 대해 이야기한다. 첫 번째 방식은 높은 건물에서 도시를 내려다보는 방식인데, 이러한 방식으로 보는 이는 도시의 일상생활을 영위하는 사람들에게게서 벗어나 멀리서 훔쳐보는 자(voyeur)라 할 수 있다. 도시를 한 눈에 내려다보려는 시각적 허구에 대한 욕망은 미셸 푸코(Michel Foucault)가 말한 판옵티콘(panopticon)적 감시체제[2]와 연결된다. 두 번째 방식은 보통 사람들이 도시를 걷고 방랑하는 '실천'으로서 보기이다. 도시를 걷는 이(walker)는 판옵티콘에 훈육되고 종속되지 않고, 주어진 판옵티콘을 일상적인 차원에서 전유, 왜곡, 변형, 재가공하며 새로운 공간을 열어갈 수 있는 가능성을 갖고 있다.[3]

---

2) 제레미 벤담(Jeremy Bentham)이 고안한 감시체계로 한 사람의 간수가 수백명의 죄수를 볼 수 있는 일종의 원형 감옥 양식이다. 푸코는 판옵티콘을 이상적인 형태에 도달한 권력 메커니즘의 다이어그램(diagramme)으로 보았다. Michel Foucault, *Surveiller et Punir, Naissance de la Prison*(Paris: Gallimard, 1976), 236

3) 전혜숙, 「실천된 장소로서의 공간: 프란시스 앨리스의 'paseo'」, 『현대미술사연구』, 20 집(2006): 93-94.

프란시스 알리스는 세르토가 말한 전술적 실천으로 '걷기'로 퍼포먼스를 하는 작가이다. 그는 벨기에 태생이지만, 1987년 멕시코에 정착한 후, 본업이었던 건축 대신, 멕시코시티를 걸어다니는 프로젝트를 진행하기 시작했다. 멕시코시티뿐만 아니라 남미 전역, 더 나아가 전세계로 그의 활동 무대를 넓히며 퍼포먼스, 회화, 사진, 비디오, 애니메이션 등 다양한 형태로 기록을 남기고 있다.

1. 〈실천의 모순 1〉(1997)과 〈믿음이 산을 옮길 때〉(2002)

(도 1) 프란시스 알리스,
〈실천의 모순 1: 때로는 무엇을 하는 것이 무의 결과를 낳는다〉,
1997, 퍼포먼스 기록 사진, 멕시코시티

1997년 〈실천의 모순 1〉에서 알리스는 멕시코시티 거리를 하루종일 다니며 커다란 얼음 블록을 밀고 다녔다(도 1). 완벽한 미니멀리즘 조각처럼 입방체였던 얼음은 퍼포먼스를 시작할 때는 작가가 힘겹게 밀어야 할 정도로 규모가 컸지만, 시간이 흐르며 점점 작아져 오후에는 작가가 공 차듯 툭툭 치고 다니다가, 마침내 완전히 녹아 없어져 버렸다.[4] 이 작품의 부제 "때로는 무엇을 하는 것이 무의 결과를 낳는다"라는 경구는 1990년대 중반까지 알리스가 탐구했던 여러 주제를 축약적으로 나타내주는 표현임과 동시에, 라틴아메리카의 사회와 경제를 반영하는 것이기도 하다. 즉 이 퍼포먼스는 당시 라틴 아메리카인들이 느꼈던 노력과 결과 사이의 거대한 불균형에 대한 패러디인 것이다.[5] 이것을 굳이 90년대 말 라틴 아메리카에 국한된 이야기라고 단정할 수 있을까. 오늘날 대부분의 사람들도 먹고 살기 위해, 매일 아침 도시의 거리로 쏟아져 나온다. 거대한 얼음 블록은 매일 그들에게 부과되는 임무를 상징한다. 이 임무는 고되고 힘든 노역인데도 불구하고, 비생산적이다. 우리의 노력에 응당한 댓가

4) https://www.youtube.com/watch?v=ZedESyQEnMA&t=182s(2017년 2월 8일 접속)
5) Mark Godfrey(ed.), *Francis Alÿs: a story of deception*(New York: MoMA, 2010), 82.

를 남기지 못하기 사라지기 때문이다.

　한편으로 입방체의 얼음 조각은 현대미술의 오브제를 상징하는 것이기도 하다. 알리스의 작품은 미술가로서의 행위가 어떤 결과물을 산출하기는커녕 아무 것도 남기지 않았다는 모순을 보여준다. 60년대 말 이후 미술계를 장악했던 미니멀리즘의 거대한 오브제가 더 이상 유효하지 않음을 보여주는 것일 수도 있다. 미니멀리즘의 대표적 형태라 할 수 있는 거대한 입방체를 갤러리에서 끌고 나와 길거리를 밀고 다니다가 흔적도 없이 사라지게 만들었기 때문이다.

　"최대의 노력, 최소의 결과"라는 주제는 〈실천의 모순 1〉 이후의 작업에서도 반복된다. 〈믿음이 산을 움직일 때〉(2002)는 작가 한 사람의 노력이 아닌 수백 명의 노력을 요하는 퍼포먼스였다(도 2). 문자 그대로 '산을 옮기려는' 허황된 이 프로젝트는 페루의 사막도시 리마(Lima) 외곽에 위치한 벤타닐라(Ventanilla) 모래언덕 위에서 5백

(도 2) 프란시스 알리스, 〈믿음이 산을 옮길 때〉, 2002, 퍼포먼스 기록 사진, 리마, 페루

명의 자원자와 함께 진행되었다. 알리스는 쿠아우테목 메디나(Cuautémoc Medina)와 라파엘 온테가(Rafael Ontega)와 협업하여 이 퍼포먼스를 36분의 비디오와 사진 기록으로 남겼으며, 15분짜리 메이킹 필름도 제작했다.[6] 이 영상은 알리스가 2000년도에 벤타닐라 모래언덕을 방문하여 작품을 구상하는 단계, 자원자들이 프로젝트에 참가하게 된 동기와 과정에 대한 인터뷰, 벤타닐라 모래언덕 주변에 위치한 난민촌의 풍광을 차례로 보여주고, 어느덧 자원자들이 모두 흰색 반팔셔츠를 입고 삽을 들고 일렬로 서 있는 모습을 비춰준다. 확성기에서 시작을 알리는 사이렌 소리가 울리자 그들은 삽으로 모래를 퍼내며 조금씩 앞으로 전진한다. 단순한 노동 같아 보이지만 사

---

6) https://www.youtube.com/watch?v=4eNuqLnFaYA(2017년 2월 8일 접속). 유튜브에서 볼 수 있는 5분짜리 영상은 메이킹 필름의 편집본이다.

실 쉬운 작업이 아니다. 5백명이 속도를 맞춰 계속 일렬을 유지해야 하며, 뜨거운 태양과 열기를 견뎌야 하고, 사막에 부는 자연적 바람과 헬리콥터가 만들어내는 인위적 바람이 그들의 노동의 흔적을 계속 덮어버리기 때문이다.

처음 인터뷰에서 이 프로젝트의 실행 가능성에 대하여 부정적인 반응을 보였던 참가자들은 정작 힘을 합쳐 삽질을 하며 모래사구를 넘어 결승점에 다다랐을 때, 박수치며 기뻐하는 모습을 보여준다. 이 기쁨은 그들이 목표한대로 산을 10cm 옮겼기 때문일까? 오히려 그 결과는 중요하지 않다. 어차피 바람 한번이면 사라져버릴 결과이다. 그렇다면 그들은 왜 만족하고 행복해하는가? 자원자들은 이 작품에 '함께 했음'을, 이 작품을 '함께 이루어냈음'을 기뻐하는 것이다. 500명이 함께 500m 떨어진 목적지까지 삽질을 멈추지 않고 전진하는 프로젝트를 완주한 것이 성공인 것이다.

2. 시적 행위와 정치적 행위의 전환

〈믿음이 산을 움직일 때〉의 5백명의 자원자들은 문자 그대로 자원해서 참여했다는 점을 주목해야 한다. 그들은 대가를 받지 않고 이 퍼포먼스에 참여했다. 알리스와 큐레이터 메디나는 메가폰을 들고 리마의 대학 교정을 다니며 학생들을 모집했고, 학생들은 예술 작품에 대한 호기심 또는 협업에 대한 순수한 마음으로 참여를 결정했다.[7] 그들은 리마에서 먼 이곳까지 버스를 나눠 타고 와서 그들의 시간과 노동력을 허비했다. 그들의 예술 행위, 알리스의 표현대로 '시적 행위'는 순수함을 지닌 것이었다.

그러나 이 '시적 행위'는 그들이 모래언덕을 내려오면서 '정치적 행위'로 전환되었음을 확인할 수 있다. 자원자들은 버스를 타고 이 장소로 이동하면서 난민촌을 처음 보고 라틴 아메리카의 실상에 놀랐다고 밝힌다. 자원자를 모집할 때, 알리스는 의도적으로 벤타닐라 모래언덕 바로 근처에 살고 있는 7천만명의 이민자, 유랑 농부, 정치적 망명자들을 배제했다. 작가는 이들을 작업에 참여시킬 경우, 대상과 행위 사이의 거리를 유지할 수 없을 것이라 여겼고, 난민들을 보수 없이 부당하게 참여시킨다

---

7) Francis Alÿs and Cuauhtémoc Medina. *When faith moves mountains*(Madrid: Turner, 2005), 96.

는 비난을 받을 것이라 예상했기 때문이다. 대신 난민촌과 그곳은 거주민들은 이 행위의 배경으로 존재한다. 행위와 난민촌이라는 배경 사이의 공간에 리마 대학생들이라는 집단이 개입하는 것이므로, 그들은 '시적 자율성'을 확보한다.[8] 그런데 그들은 '의미 없는' 노동을 함께 한 후, 모래언덕에서 내려오며 다시 보이는 난민촌을 올라갈 때와 다른 마음으로 보게 되었음을 고백한다. 사실 이 작품의 목표는 모래언덕을 옮기는 행위에 있는 것이 아니라, 모래언덕을 옮기는 행위의 부조리함을 보여줌으로써 페루가 직면한 사회적 현실을 보게 하는 데 있다.

조르주 바타이유(Georges Bataille)가 「저주의 몫」(1951)에서 말했듯이, 서구 경제는 쓸 수 있는 것보다 더 많은 에너지를 생산한다. 바타이유는 이러한 과잉 에너지들을 '비생산적 소비(depense improductive)'를 통해 해결할 수 있다고 본다. 재생산을 위한 소비가 아니라 잉여의 소모 그 자체를 위한 순수 소비를 뜻하는 것이다. 바타이유는 「선사시대 그림: 라스코, 또는 예술의 탄생」(1955)에서 이러한 비생산적인 행위를 예술의 탄생과 연결시켜 설명한다. 기존의 생산중심적 정치경제학에서는 인간과 세계가 존속하기 위해 생산을 하고 쓰고 남은 것들을 축적한다고 설명한다. 그러나 바타이유는 이러한 논리를 뒤집어 소비와 상실이 더 중요한 것으로 생각하는데, 바로 2만년 전 라스코 동굴벽화는 예술이 바로 이 '낭비'에 해당하는 부분이었음을 증명하는 것이라는 주장이다. 낭비란 생산과 직결되지 않는 모든 소비를 말한다. 인간은 사실 겉으로는 생산에 몰두하는 듯하지만, 실은 끝없이 소비에 탐닉하는 존재이다. 동굴 안에서 힘들게 바위를 쪼아 동물의 형상을 만들고, 또 그 위에 힘들게 색채를 입히는 행위는 인간의 생명 유지를 위한 노동과는 아무 상관이 없는 행위이다. 글자 그대로 노동력 낭비, 자원의 낭비일 뿐이다. 이 쓸데없는 낭비적 행동이 예술의 기원이다. 그러나 라스코 벽화 이후 미술은 원래 미술에 부여했던 목적에서부터 점차 멀어지게 된다. 그림은 단순히 눈에 보이는 어떤 것을 만든다는 최초의 기능에서 벗어나 무엇인가를 의미하게 되면서 언어적인 기능을 얻고, 결국 미술은 문학에 종속되고 만다.[9]

---

8) Grant H. Kester, *The One and The Many: Contemporary collaborative art in a global context*(Durham: Duke University Press, 2011), 71-73.
9) Georges Bataille, "Lascaux: ou, la naissance de l'art: la peinture préhistorique," (1955), *Œuvres complètes*, vol. 9(Paris: Gallimard, 1979), 13.

바타이유에 의하면, 미술이 다시 아무 것도 의미하지 않는 본래의 기능을 회복하는 것은 마네부터이다. 마네는 무엇인가를 말하는 회화가 아닌 '회화의 침묵'을 원하며, 담론의 기능으로부터 회화를 독립시킨다.[10)]

알리스의 퍼포먼스에서 보인 아무런 '의미 없는', 낭비적 행위들은 바타이유가 말한 예술의 본래 기능이었다. 예술이라는 '시적 행위'는 실제로 산을 움직이는 결과를 낳는 것이 아니라, 많은 지식인들의 시간과 노동력의 낭비에서 비롯되는 것이며, 여기에 이 프로젝트의 희망이 있다.

한편, 미술사적 맥락에서 볼 때, 〈실천의 모순 1〉이 미니멀리즘 조각에 대한 알리스의 반론이었다면, 〈믿음이 산을 옮길 때〉는 대지미술에 대한 알리스의 반론으로 읽을 수 있다. 알리스는 "리차드 롱(Richard Long)이 페루의 사막을 걸었을 때, 그는 자신이 직면한 사회적 내용을 가지고 사색적인 수행을 한 것이다. 로버트 스미드슨(Robert Smithson)이 〈나선형 방파제 Spiral Jetty〉를 유타주의 그레이트솔트호(Great Salt Lake)에 세운 것은 토목공학을 조각으로 바꾼 것이다."라며 대지미술의 역사를 언급한다. 이어 알리스는 자신의 작품은 "수백 명의 사람들과 삽을 가지고 사회적 알레고리를 창조하는 것이다. 이 이야기는 신체적인 흔적을 대지에 덧붙이려는 것이 아니다."라고 말하며, '대지 없는 대지미술'을 창조해야 함을 역설한다.[11)]

그러므로 〈믿음이 산을 옮길 때〉는 헬리콥터에서 찍은 부감샷으로 온전히 이해할 수 있는 것이 아니다. 모래 언덕에서 참여자들이 경험한 강렬한 순간은 결코 사진이나, 영상, 문서로 재생될 수 없는 것이다. 걷기로서 노동하며 실천하는 이들의 집단적 경험과 이를 통해 산출되는 동조의 감정은 판옵티콘 시각으로 내려다보는 이들, 혹은 그들의 경험을 돈으로 사려는 권력자들이 결코 누릴 수 없는 것이다. 그들이 작업이 끝나는 순간 경험한 "실제로 무엇을 변화시킬 수 있다는 환상"은 그들만이 공유한

10) Georges Bataille, "Manet(1955)," *Œuvres complètes*, vol. 9(Paris: Gallimard, 1979), 103-167.

11) Ferguson, Russell, Francis Alÿs, and Armand Hammer Museum of Art and Cultural Center. *Francis Alÿs: politics of rehearsal*. exhibition catalogue(Los Angeles: Hammer Museum, 2007), 109

'믿음'일 것이다.[12] 남미의 근대화와 발전을 위한 실제 정책들은 난민촌을 낳았지만, 아무 것도 아닌 삽질 끝에 그들이 얻은 것은 변화의 가능성이요, 그에 대한 믿음인 것이다.

III. 영원으로 가는 길: 빌 비올라

비디오 아트의 거장 빌 비올라의 작품에서 기독교 신비주의뿐만 아니라, 불교의 선종, 이슬람 수피교 등 종교 전반에 대한 작가의 관심을 발견하기는 어렵지 않다. 비올라가 성화 등 기독교의 이미지들을 자주 인용하는 이유도 이를 구체화 또는 재생산하고자 함이 아니라, 교회라는 공간을 살아있는 자와 죽은 자들이 소통할 수 있는 장소로 생각하기 때문이다. 비록 작가의 의도는 좀 더 광범위한 의미의 영성을 이야기한다 할지라도, 그리스도인은 비올라의 작품을 통해 예수의 마음을 읽고, 비그리스도인일지라도 그의 비디오 아트 앞에서 종교적 체험을 하곤 한다.[13] 이것은 비올라가 성화의 장면들을 자신의 작품에 직접 인용하기를 즐기며, 삼면화와 같은 제단화의 형식을 활용하고, 빛과 물 같은 종교적 상징을 갖는 요소를 적극 사용하기 때문이다.[14] 또한 내가 누구인지, 내가 어디에 있는지, 어디로 가는지, 질문하는 그의 작품의 주된 테마는 현시대, 현사회를 살아가는 한 개인이 가져야 할 철학적 질문이기도 하다.[15]

---

12) 우정아, 「프란시스 알리스-도시를 걷는 미술가」, 『미술사학보』 43집 (2014): 132.

13) 현대 기독 미술의 범위에 대한 학자들의 이견이 있지만, 문화 신학의 관점에서 보면 기독 미술을 문화 전반과 삶의 전 영역으로 확장할 수 있다. 한스 로크마커(Hans R. Rookmaaker)가 기독 미술은 성경의 이야기만 다루는 것이 아니라 창조세계 전부와 인간의 모든 것을 다룰 수 있다고 보았다. 폴 틸리히(Paul Tillich)가 피카소의 〈게르니카〉(1937)를 역사상 가장 위대한 개신교 회화로 본 것도 이러한 관점에서 비롯된 것이다. 한의정, 「현대미술에서 성(聖)과 속(俗)」, 『미학 예술학연구』 38집 (2013): 142 참조.

14) 한의정, 「현대미술에서 성(聖)과 속(俗)」: 152.

15) 비올라의 40년간의 작업을 총망라한 2014년 파리 회고전(《Bill Viola》, Grand Palais, 2014. 3.5-7.21)의 세 섹션도 동일 질문으로 나뉘었다. Jérôme Neutres(ed.), *Bill*

1. 〈우리는 날마다 나아간다〉(2002)

비올라는 특히 2000년대 들어서면서 '세계 안의 우리가 어떤 존재인지 인식하는 문제'를 중요하게 다루기 시작한다. 비올라의 이전 작품들에도 인간 존재에 대한 철학적 질문들이 여러 형식적 실험을 통해 탐구되었지만, 2000년대에는 이러한 시도들이 보다 종합적으로 드러난다. 즉 우리의 시각과 의식에 현상학적으로 접근하거나, 정서가 드러나는 장소로서 인물을 사용하거나, 작품 내 시간을 자유자재로 다룸으로써 인물의 몸짓과 움직임을 변형시킨다든지, 장르화를 비유적으로 활용하여 작품이 영적인 생명력을 가진 것으로 보이게 한다든지 하는 것들이다. 이 모든 것들이 그의 작품에 종합적으로 나타날 때, 관객은 그를 둘러싼 세계를 다시 돌아보게 되며, 그 세계를 더욱 보호하고 사랑하고자 하는 마음을 가지게 된다.[16]

그 명백한 시작은 2002년 〈우리는 날마다 나아간다〉에서 보여준 숭고한 힘에서 비롯되었다. 원래 베를린의 구겐하임 미술관을 위해 제작된 이 작품은 2002년 9월 뉴욕의 구겐하임 미술관에 설치되었다(도 3). 뉴욕 시민들의 마음에 1년 전 테러가 아직 큰 충격으로 남아 있을 때, 비올라의 작품은 관람자가 관조하고 생각할 수 있

(도 3) 빌 비올라, 〈우리는 날마다 나아간다〉, 2002, 비디오 5채널 설치, 35min, 뉴욕 구겐하임 미술관 설치 전경

는 공간을 마련해주는 계기가 되었다. 비올라는 이 작품이 "인간 존재라는 테마, 즉 개인, 사회, 죽음, 재탄생을 탐구하는 디지털 이미지 서클로 구상"되었음을 밝힌다. 다섯 채널로 된 이 작품은 하나의 거대한 방에서 각 35분 길이의 영상을 동시에 실행시킨다. 이 공간에서 관람자는 모든 벽이 이미지로 뒤덮혀 있고, 사운드가 동시에 엉키는 세계의 중심에 서서

Viola. exhibition catalogue(Paris: RMN, 2014) 참조.
16) John G. Hanhardt, *Bill Viola*(New York: Thames & Hudson, 2015), 195.

선택적으로 작품을 감상하게 된
다.[17]

관람자가 들어오는 입구 쪽의
영상은 자연스럽게 관객의 눈길
을 처음 사로잡는다. "불 탄생 Fire
Birth"란 소제목이 붙은 이 영상은
인간의 형체가 어두운 수몰된 세
계에서부터 떠오르는 것부터 시작
한다(도 4). 무의식의 상태로 보이
는 몸은 죽음과 재탄생 사이에서

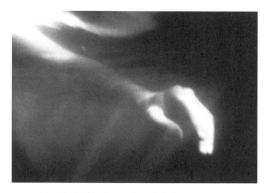

(도 4) 빌 비올라, 〈우리는 날마다 나아간다〉,
첫번째 패널 "불 탄생"

유영한다. 오렌지색의 불빛이 물의 표면을 통과한다. 이 불빛은 이전 세계에서는 화
재, 즉 파괴를 의미했었지만, 물 속에서 이 불빛은 인간을 비추어 새롭게 만든다.[18]
물은 생명과 죽음의 비밀을 간직하고 있다. 수면 위의 세상이 화염으로 얼룩져 있는
파괴와 죽음의 도가니라면, 수면 아래의 세계는 혼란스럽기는 하지만, 삶의 가능성
을 갖고 있다.[19] 여기서 불과 물은 인간의 재탄생을 위해 상징적으로 사용되고 있다.
이는 비올라가 90년대 초반 〈소멸 The Passing〉(1991)과 〈낭트 삼면화〉(1992)에서
보여준 수중 이미지와 연결되며, 물뿐만 아니라 불을 순환의 매개로 사용하는 첫 작
품이기도 하다.

왼쪽의 긴 벽에는 숲 속을 한 방향으로 지나가는 사람들의 "길 The Path"을 보
여준다(도 5). 어느 여름 아침, 환한 빛이 사람들이 지나가는 길을 비추고 있다. 산
책 중인 그들은 각각 자신만의 방식으로 걸어가고 있다. 무거운 짐을 지고 가는 사
람, 손가방 하나 달랑 들고 가벼운 발걸음으로 가는 사람, 꽃을 든 사람, 혼자 가는

---

17) Bill Viola, *Going Forth By Day: Bill Viola*, exhibition catalogue(Berlin and New
York: Solomon R. Guggenheim Foundation, 2002), 68. 이 작품에서 비올라는 스크
린이나 다른 지지체 없이 바로 벽에 영사하였다. 이는 프레스코화 같은 효과를 주며,
관람자의 몰입을 돕는다.

18) Viola, *Going Forth By Day: Bill Viola*, 15.

19) 이지은, 「21세기의 종교화?: 빌 비올라(Bill Viola)의 근작들」, 『인문과학연구논총』 27
집(2005): 132.

(도 5) 빌 비올라, 〈우리는 날마다 나아간다〉, 두번째 패널 "길"

사람 등 자신만의 속도로 길을 걸어가고 있다. 이들의 여정은 시작도 끝도 없어 보인다. 관객이 이 작품 앞에 서서 그들을 보기 전에도 그들은 걷고 있었고, 관람객이 자리를 떠나도 그들은 계속 걸어갈 것이기 때문이다. 자세히 들여다 보면 그들이 걷고 있는 길은 앞의 나무와 뒤의 숲길 사이의 중간 지대에 위치한다. 사이 지대를 지나가면서 나무 사이로 나타났다 사라졌다 반복하는 사람들의 행렬은 묘한 느낌을 발생시킨다.[20]

가장 강렬한 경험을 선사하는 패널은 "불 탄생"을 마주보고 있는 "폭우 The Deluge"이다(도 6). 카메라는 화면 가득히 하얀 돌로 지어진 건물의 정면을 응시하고 움직이지 않는다. 사람들은 그 건물 앞을 일상적인 모습으로 오고 간다. 집을 나서는

(도 6) 빌 비올라, 〈우리는 날마다 나아간다〉, 세번째 패널 "폭우"

사람, 아이를 데리고 지나가는 사람, 물건을 운반하는 사람 등. 어느 순간부터 사운드가 점점 고조되고, 사람들의 발길이 빨라지면서, 영상은 긴장감을 더해간다. 비명 소리가 들려오면서 사람들은 화면 밖으로 도망가기 시작한다. 건물 안에 있던 사람들도 계단을 뛰쳐 내려온다. 갑자기 격렬한 급류가 건물

---

20) Viola, *Going Forth By Day*: Bill Viola, 24.

의 내부에서부터 쏟아져 나오며, 건물은 순식간에 침수된다. 사람들의 생명과 소유물들을 급류가 휩쓸어가는 모습이다. 시간이 흐르고 서서히 물은 잦아들면서 모든 것은 진정된다. 하얀 빌딩은 급류에 말끔하게 떨어져 나간 창문을 제외하고는 아무런 해를 입지 않았으며, 거리는 이전보다 더 깨끗하게 청소되었다. 텅 빈 거리는 태양빛에 반짝인다.[21]

마지막 네 번째 벽은 두 개의 화면으로 분할되어 있다. 왼편에 영사되는 "여행 Voyage"은 바다를 내려다보고 서 있는 언덕 위 작은 집을 보여준다(도 7). 집 내부에는 나이 든 남자가 아파서 침대에 누워 있고, 그의 아들과 며느리로 보이는 젊은이들이 그 모습을 지

(도 7) 빌 비올라, 〈우리는 날마다 나아간다〉, 네번째 패널 "여행"

켜보고 있다. 집 밖 문가에는 또 다른 남자가 앉아 지키고 있다. 언덕 아래 해안가에는 보트가 세워져 있고, 여기에 천천히 짐들을 싣고 있다. 한 나이 든 여자가 보트 근처에서 참을성 있게 기다리고 있는데, 아마도 아픈 남자의 아내인 듯 하고, 짐은 그들의 것인 듯하다. 시간이 흐르고, 아들과 며느리는 아픈 아버지를 홀로 남겨 두고 떠난다. 아버지에게 남은 것은 잠, 그리고 옅은 호흡뿐이다. 또 시간이 흐르면, 그는 어느새 해안에 나타나 그를 기다리던 아내에게 인사한다. 부부가 보트에 승선하자, 보트는 멀리 떠난다. 아들과 며느리는 다시 언덕 위 작은 집으로 돌아온다. 그러나 아버지의 집 문은 잠겨 있다. 아들은 미친 듯 문을 두드리지만, 아무런 대답이 없다. 그들은 아버지의 죽음을 받아들이며, 또다시 언덕을 내려간다.[22] 이 작품은 비올라가 고인이 된 아버지에게 헌정한 작품이다. 이미 1992년 어머니의 죽음과 아들의 탄생을 다룬 〈낭트 삼면화〉에서 보여주었듯이 이 작품도 인간의 삶과 죽음을 다룬다. 또한 〈소멸

21) Neutres(ed.), *Bill Viola*, 96.
22) Viola, *Going Forth By Day: Bill Viola*, 48.

현대미술에 나타난 광야의 재해석

(도 8) 빌 비올라, 〈우리는 날마다 나아간다〉,
다섯번째 패널 "첫번째 빛"

〉(1991)에서 어머니와 아들이 물로 중첩되었듯이, "여행"에서 꿈과 현실의 세계 역시 물을 매개로 병치되어 있다. "여행"에 나타난 아버지의 죽음은 어머니와 해후할 아버지의 편안한 항해에 대한 비올라의 기원일 것이다.

"여행" 옆에는 "첫 번째 빛 First Light"이란 제목을 단 영상이 투사된다(도 8). 구조대원들은 사막에서 갑작스러운 홍수에 잡혀버린 사람들을 구하는 일을 밤새 했다. 지치고 진이 빠진 모습으로 그들이 장비를 정비하는 동안 서서히 새벽 빛이 들어오기 시작한다. 해안가에 서 있는 한 여인은 가족, 친구, 이웃이 살았던, 홍수로 불어난 계곡을 바라본다. 그녀는 조용히 기다리는 듯하나 사실 두려움으로 가득 차 있다. 그녀가 사랑하는 아들의 소식을 알 길이 없기 때문이다. 어느새 탈진한 구조대원도, 고통에 사로잡힌 어머니도 모두 한 명씩 한 명씩 잠이 든다. 모든 것이 멈추었고, 고요한 순간이다. 바로 그 때, 수면이 흔들리기 시작하며, 한 젊은 남자의 얼굴이 떠오른다. 흰 옷을 입은 남자는 곧게 서서 서서히 하늘로 올라간다. 그의 몸에서 떨어지는 물방울은 어느새 소나기로 변하여, 잠든 사람들을 깨운다. 그들은 무슨 일이 일어났는지 전혀 알지 못한 채, 황급히 그들의 짐을 챙겨 비를 피해 떠나버린다. 그들이 화면 밖으로 사라지면, 비 사이로 태양 빛이 나타난다. 비가 완전히 멈추고, 또 새 날의 빛이 밝게 바위와 언덕을 비춘다.[23]

모두가 잠든 사이 수면 위로 나타나 하늘로 승천하는 청년의 모습에서 우리는 예수의 형상을 떠올리게 된다. 특히 그를 아무도 알아보지 못한다는 점에서 예수의 변모(transformation) 에피소드와 연결시켜 볼 수 있다. 예수가 제자 베드로, 야고보, 요한과 함께 높은 산에 올랐을 때 "얼굴이 해 같이 빛나며 옷이 빛과 같이 희어졌더라"고

23) Viola, *Going Forth By Day: Bill Viola*, 58.

기록되어 있다. 이 때 제자들은 예수가 모세와 엘리야와 대화하는 모습을 보았다고 묘사하고 있다(마 17:2-3). 이 변화산 사건은 그동안 제자들이 보아왔던 예수의 인간적인 모습이 아닌, 신과 인간이 순간적으로 하나가 되었다는, 즉 그리스도의 신성을 나타내는 표시이다.[24] 이후 예수의 부활 사건 후 만난 막달라 마리아도, 엠마오로 가는 길에서 만난 두 제자도 예수님을 한 눈에 알아보지 못하는데, 이는 예수가 이러한 신성을 띤 모습으로 변모되었기 때문이다. 그러나 그들은 어느 순간 "눈이 밝아져" (눅 24:31) 예수를 알아본다. 하지만, "첫 번째 빛"의 사람들은 청년의 부활을 목격하지도, 알지도 못한 채 떠나버린다. 그들은 아마도 여전히 이 땅에서 잃어버린 아들을 찾아다닐 것이다. 이미 세상을 비추는 빛으로 변모한 그를 상상도 못한 채 전혀 다른 곳을 헤매는 모습은 현대인의 자화상이라 할 수 있다.

비올라는 관객이 이 작품을 관람하며 "한 편의 영화 안에 들어가는" 경험을 하기를 원했다.[25] 장대한 규모의 프로젝션에 둘러싸여, 관객은 모든 것이 동시에 펼쳐지는 내러티브 안으로 들어가, 각 패널 사이의 관계를 새로 설정할 수도 있다. 그러므로 이 작품을 회화로 본다면 풍경화의 내러티브를 갖고 있다고 할 수 있다. 파노라마식 시점을 유지하며, 클로즈업도, 중심 인물도 없다. 자연 환경과 우주에서 인간이 점하는 자리에 관한 이야기인 것이다. 그러므로 이것은 한 개인 차원의 문제가 아니라 공동체, 사회 차원의 문제가 된다. 그렇다면, 이 작품은 다시 역사화와 관련된다.[26] 탄생과 죽음이라는 비올라의 오래된 주제를 다루면서도, 전쟁과 테러로 뒤숭숭한 미국에

---

24) 회화나 조각에서도 예수의 변모를 자주 표현했다. 라파엘로의 마지막 작품 〈그리스도의 변모〉(1518-1520)가 그 대표적인 예이다.

25) 여러 미술사학자들, 그리고 비올라 본인도 〈우리는 날마다 나아간다〉의 설치 방식과 관련해서 이탈리아 파도바(Padova)에 위치한 스크로베니 예배당(Scrovegni Chapel)에 있는 마리아와 예수의 일생에 관한 지오토의 프레스코 연작의 영향을 말한다. 스크로베니 예배당은 제단 안쪽을 제외하고 모든 벽과 천장에 프레스코화가 그려져 있다. 네 면의 벽과 천장은 그리스도의 생애, 최후의 심판, 천상의 옥좌에 앉은 하느님 그리고 조각상처럼 묘사된 성경의 일곱 미덕과 일곱 악덕의 알레고리를 주제로 하고 있다. 이야기는 남쪽 벽 위 왼쪽에서 시작하여 오른쪽으로 진행되며 북쪽 벽 아래 오른쪽에서 끝난다. 마치 3차원 입체 양식을 적용한 것처럼 활동성과 연극성이 한층 돋보인다. 자연스럽게 공간이 연결되고 있다는 점에서 통일적이며 연속적이다.

26) 이러한 전략은 비올라가 1989년 〈인간의 도시 The City of Man〉에서 이미 행한 바 있다.

서 특별한 공감을 얻어낼 수 있었던 이유도 여기에 있다. 그리고 이 공감은 비단 미국에만 국한되는 것이 아니라, 세월호 이후 현대사의 소용돌이를 지나고 있는 한국에도 유효한 것이다.

2. 《신기루》가 보여주는 광야의 의미

비올라는 사막에 대하여 다음과 같이 말한다. "지난 20년간 사막은 내 작품에 중요한 모티브가 되었다. 사막은 되풀이되는 모티프와 테마의 필수적인 교차점으로 인간의 내면과 외면을 만나게 해주는 곳이다. 나는 이 지역을 앙상한 날 것 그대로라 생각하지 않는다. 이곳은 인간의 정신이 잠재된 곳이다."[27]

우리가 가끔 풍경 속에서 보는 신기루와 열파장을 효과적으로 기록하기 위해 비올라는 사막으로 향한다. 〈기로 Crossroads〉(2014)는 캘리포니아의 모하비(Mojave) 사막에서 한 해 중 가장 더운 7월에 촬영되었다(도 9).[28] 나이, 인종, 성별, 민족이 다른 19명의 사람들이 각기 다른 길을 가다가 한 명씩 관객 쪽으로 다가왔다가 되돌아간다. 비올라는 이 작품에서 신기루를 분명함(clarity)과 환영의 경계처럼 활용한다. 이 신기루 덕분에 스크리닝 시간 내내, 그들의 여정이 반짝거리는 빛으로 가득 찬다. 이 작품은 후에 《신기루 Mirage》라는 연작에 포함되는데, 이 연작은 〈내부 통로 Inner Passage〉(2013)도 포함한다.[29]

〈내부 통로〉는 한 남자가 혼자 모하비 사막을 걷는 여정을 담는다(도 10). 사막의 먼 지평선에서 희미한 점으로 나타난 그는 카메라 쪽으로 직진한다. 그가 카메라 쪽

---

27) Bill Viola, *Reasons for Knocking at an Empty House*(Cambridge, MA: MIT Press, 1995), 262. 사실 비올라는 〈빛과 열기의 초상화 Chott el djerid〉(1979)에서부터 사막을 영상에 담았다.

28) 카타르의 도하(Doha) 지방의 하마드 국제 공항(Hamad International Airport)에 가로 25m, 세로 5m LED 스크린에 영사될 것을 예상하고 제작되었다.

29) 뿐만 아니라, 떨어져서 걸어오던 두 여인이 잠시 만나 무언가를 주고 받고 스쳐 지나다시 왔던 길을 되돌아가는 〈조우 The Encounter〉(2012), 이글거리는 지열과 먼지를 뚫고 멀리서 걸어온 두 남녀가 신기루 속 환상의 실체를 확인하고 다시 각자의 길로 나아가는 〈가녀린 실 Delicate Threads〉(2012), 먼지 폭풍이 부는 사막을 헤치고 건너오는 어머니와 아들을 그린 〈조상들 Ancestors〉(2012) 등도 《신기루》연작에 포함된다.

(도 9) 빌 비올라, 〈기로〉, 2014, 비디오 설치

으로 가까이 오면 올수록 이미지는 어둡게 변하고, 곧바로 수많은 분절된 이미지와 사운드가 뒤섞여 재빨리 나타났다 사라진다. 이것들이 사라지면, 하나의 빛이 길을 비추고, 남자가 다시 나타나 왔던 길을 되짚어나가 결국은 멀리 사라진다.[30]

사막은 그 곳을 지나가는 이에게 고난의 장소이다. 사막에서 작열하는 더위, 감각을 마비시키는 추위, 눈부신 빛, 칠흑 같은 어둠, 끝을 알 수 없는 거리가 그에게 육체적 고통을 안겨준다. 또한 그는 사막에서 형이상학적인 극단도 경험한다. 한편으로는 외로움, 고립감, 스트레스, 걱정, 두려움이 몰려오고, 다른 한편으로는 아름다움, 신비로움, 경이로움, 황홀경을 경험하는 것이다. 그는 현재 이두 극단의 사이에서 서 있다.[31] 불확실한

(도 10) 빌 비올라, 〈내부 통로〉, 2013, 비디오, 17min

땅이지만, 동시에 약속된 땅이 바로 사막이다.

30) Kira Perov(ed.), *Bill Viola: Frustrated Actions and Futile Gestures*, exhibition catalogue(London: Blain/Southern, 2013), 48
31) Perov(ed.), *Bill Viola: Frustrated Actions and Futile Gestures*, 48

이 작품은 영국의 대지미술가 리차드 롱(Richard Long)에 대한 오마주임을 부제에서 밝히고 있다. 리차드 롱은 자연풍경에서 작품의 요소들을 가져오는데, 주로 시골과 세계의 외지를 걸음으로써 작업하는 작가이다. 우리가 앞서 본 알리스가 도시 속에서 걷기를 지속하여 사회 안의 인간을 성찰할 수 있게 했다면, 리차드 롱의 걷기는 자연 속 인간으로 회귀이다. 이러한 자연에 거하는 인간에 대한 찬사는 비올라가 인간을 이해하기 위해 던지는 질문 중 하나이기도 하다. 그러나 비올라와 리차드 롱이 분명히 구분되는 점은, 비올라의 작업은 자유롭게 걷고 있는 이의 마음을 통해 쏟아져 나오는 기억의 인식론적인 재현을 담고 있다는 점이다. 비올라는 절대로 죽음을 통해 또는 완전한 자유를 얻어 해방되기를 희망하지 않는다. 우리는 모든 것을 마음에 담고 있으며 그러기에 완전히 떠날 수 없다. 우리 의식 속에 너무나 많은 것들을 담고 있으며, 떠날 수 없기에 다시 되돌아가는 것이다.

IV. 나가며

광야는 고통의 땅이다. 여기서는 궁핍과 위험이 수시로 닥쳐오며, 과거에 누렸던 영화가 눈앞에 아른거려 현 상황을 원망과 불평으로 바라보게 한다. 또한 금식 중인 예수에게 그랬듯이 인간적 욕망을 부추기는 시험의 장소이기도 하다. 고통과 시험의 순간, 우리는 묻는다. 도대체 왜 나에게 이러한 고통과 시험을 주시는지? 무엇을 해야 극복할 수 있는지? 이 커다란 질문 앞에서 우리는 정치신학자 도로테 죌레의『고난』의 내용을 따라가 보며 본고의 결론을 대신하고자 한다.

전통적 신정론(theodicy)에서는 어떤 상황에서도 하느님의 전능함(omnipotence)과 전적 선함(omnibenevolence)를 주장한다. 문제는 선한 사람도 고통을 겪는다는 사실이다. 전통적 신정론은 전능하신 하느님이 고통받는 자를 악에서 건져주시지 못할 리 없고, 전적으로 선하신 하느님이 아무런 이유 없이 고통을 주실 리 없다고 한다. 결국 전통적 신정론은 고통받는 자가 이유가 있어 고통을 겪는 것이라고 한다. 그 이유는 바로 '인과응보'와 '교육'이다.

인과응보 신정론은 고통의 현실에 대해 고통은 인간이 지은 죄의 결과라는 말한다. 하느님은 그 죄에 대해 벌을 주시거나 용서해 주실 뿐, 모든 책임은 인간이 져야 한다. 그런데, 이런 인과응보 신정론은 한계가 있다. 선하고 무고한 이들의 고통을 설명하기 어렵기 때문이다. 아우슈비츠 수용소의 유대인들, 전쟁에 피해를 입은 민간인들, 세월호 희생자 아이들 앞에서 이런 말은 불합리할 뿐 아니라 불경하기까지 하다.

인간의 죄성을 강조하는 인과응보 신정론과 달리 교육 신정론은 인간의 가능성을 강조한다. 고통과 시험의 경험은 그것을 통해 인간을 더 높은 존재로 변화시키고 성숙시키기 위한 하느님의 교육이라는 것이다. 그러나 교육 신정론도 동일한 한계에 부딪히게 된다. 교육이라고 하기에는 인간이 경험하는 고통과 시험이 너무 참혹하기 때문이다. 지진과 화산, 태풍과 쓰나미 등의 자연재해뿐만 아니라, 6백만명의 유대인 학살, 테러, 고문 같은 인간악을 하느님의 교육이라고 말할 수 있을까? 그것이 하느님의 교육이라면 하느님은 잔인하고 포악한 교사임에 틀림없다. 죌레는 이런 고통은 교육이기에는 너무 지나친 것이라 말한다.

벌을 주기 위해서든 교육을 위해서든 하느님이 고통을 야기한다고 주장하는 전통적 신정론은 하느님의 선하심보다 하느님의 전능하심을 더 강조하는 것이다. 죌레는 이처럼 고통을 정당화하고 합리화하는 전통적 신정론을 '신학적 새디즘'이라고 비판한다. 신학적 새디즘은 신학적 매저키즘과 짝을 이루어, 전능하시며 전적으로 선하신 하느님이 주시는 고통을 무기력하게 받아들이거나 정당화해버린다. 죌레는 하느님의 전능에 대한 믿음과 하느님의 전적 사랑에 대한 믿음은 병립할 수 없다고 본다. 그리고 그녀는 하느님의 전능을 포기하고, 대신 '약하지만 선한 하느님'을 찾는다. 선한 하느님은 고통 받는 자의 편에 선다. 그 하느님은 늘 압제당하는 자, 노동자, 약자의 편에 서 있다. 예수님은 "희생자의 편에서 교수형을 당하는" 분이다.

광야에 서 있는 희생자의 소리는 아직 말이 아니다. 오히려 침묵에 가깝다. 너무 고통스러워 말을 할 수 없기 때문이다. 고통을 극복하기 위해서는 고통의 외침과 침묵이 언어로 표현되어야 한다. 고통 받는 자가 말을 찾는 첫 단계는 '탄식'이다. 뒤셀도르프 금속공장 노동자의 "내 말을 믿어 주시오!"라는 탄식을 죌레는 "오늘의 시편"으로 듣는다. 고통의 제1국면에서 소외된 침묵과 신음이, 제2국면에서 소통의 탄식과 시로, 마침내 제3국면에서 합리적 언어로 표현될 때 비로소 변화를 위한 연대와 실천

이 일어날 수 있다.[32)]

　희생자의 소리를 언어로 표현하는 것이 고통을 극복하는 시작이라는 죌레의 통찰은 고통 앞에 선 예술의 의미와 목적을 생각하게 한다. 고통의 시대일수록 말이 필요하다. 희생자의 소리에 귀를 기울여 그 소리를 말로 전환하는 것이다. 알리스와 비올라가 보여주었듯이, 예술가는 예술가만이 지닌 말하는 방법, 즉 예술의 언어로 표현해주는 것이 고통 받는 자를 위해 할 수 있는 실천일 것이다. 우리는 "말 못하는 자와 모든 고독한 자의 송사를 위하여 입을 열어야" (잠 31:8) 하기 때문이다.

주제어(Keyword): 광야(desert), 고난(suffering), 프란시스 알리스(Francis Alÿs), 빌 비올라(Bill Viola), 조르주 바타이유(Georges Bataille), 미셸 드 세르토(Michel de Certeau), 변모(transformation)

32) 도로테 죌레, 『고난』, 채수일, 최미영 공역(한국신학연구소, 1993), 77-80.

참고문헌

강사문, 「성경에서의 광야(사막)의 주제」, 『장신논단』, 16호(2000): 10-33.

도로테 죌레, 『고난』, 채수일, 최미영 공역, 한국신학연구소, 1993.

우정아, 「프란시스 알리스-도시를 걷는 미술가」, 『미술사학보』 43집(2014): 119-138.

이지은, 「21세기의 종교화?: 빌 비올라(Bill Viola)의 근작들」, 『인문과학연구논총』 27집(2005): 129-149.

이희학, 「광야유랑 전승에 대한 구약의 상이한 해석들」, 『신학과 현장』 11집(2001): 211-238.

전혜숙, 「실천된 장소로서의 공간: 프란시스 앨리스의 'paseo'」, 『현대미술사연구』, 20집(2006): 91-122.

한의정, 「현대미술에서 성(聖)과 속(俗)」, 『미학 예술학연구』 38집(2013): 141-168.

Alÿs, Francis, and Cuauhtémoc Medina, *When faith moves mountains*. Madrid: Turner, 2005.

Bataille, Georges, "Lascaux: ou, La naissance de l'art: la peinture préhistorique,"(1955) *Œuvres complètes*, vol. 9, Paris: Gallimard, 1979.

Bataille, Georges, "Manet(1955)," *Œuvres complètes* vol. 9, Paris: Gallimard, 1979.

Ferguson, Russell, Francis Alÿs, and Armand Hammer Museum of Art and Cultural Center, *Francis Alÿs: politics of rehearsal*. exhibition catalogue, Los Angeles: Hammer Museum, 2007.

Godfrey, Mark(ed.), *Francis Alÿs: a story of deception*. New York: MoMA, 2010.

Hanhardt, John G., *Bill Viola*. New York: Thames & Hudson, 2015.

Kester, Grant H., *The One and The Many: Contemporary collaborative art in a global context*. Durham: Duke University Press, 2011.

Neutres, Jérôme(ed.), *Bill Viola*. exhibition catalogue. Paris: RMN, 2014.

Perov, Kira(ed.), *Bill Viola: Frustrated Actions and Futile Gestures*. exhibition

현대미술에 나타난 광야의 재해석

catalogue. London: Blain/Southern, 2013,

Viola, Bill, *Reasons for Knocking at an Empty House*. Cambridge, MA: MIT Press, 1995.

Viola, Bill, *Going Forth By Day: Bill Viola*. exhibition catalogue. Berlin and New York: Deutsche Bank and the Solomon R. Guggenheim Foundation, 2002.

Reinterpretation of Desert in Contemporary Art

HAN Eui-Jung (Hongik University)

Our contemporaries obviously live in big cities far from the desert, enjoying material civilization. But the sufferings and temptations that we experience here are not so different from what Israelites and Jesus experienced in the desert. We always worry about food and drink, and doubt our way to an uncertain future. We need someone to pour out our resentment and complaints, and find the absolute being to rescue us in times of despair. In the various themes and expressions of contemporary art, our contemporaries who experience such a desertic state appear.

In Francis Alÿs's walking performance, we discover human beings in society, human beings in community. Especially, in *Paradox of Praxis 1(Sometimes Doing Something Leads to Nothing)*(1997) and *When Faith Moves Mountains*(2002), daily labor becomes penance, the penance produces a result in vain. What remains here is not a joy of any result, but a sharing of belief that we can change it together. Poetic act, which has begun purely under the name of art, is thus transformed into a political act.

Bill Viola is more actively drawing life facing disaster and separation between birth and death. As shown in *Going forth by day*(2002), we are lamenting the loss of loved ones by a natural disaster or a disease, but we can not witness his resurrection. But the resurrected person reveals our life again in the form of water, fire, and light. Shown in Viola's 《Mirages》 series, their interest in the desert is also due to two extreme properties of the desert. The desert inflicts physical pain such as heat and cold, light and darkness, and mental suffering like as loneliness and fear, while it enables us to experience beauty and wonder. Now we are present between two extremes. It is desert that is uncertain land, but is a promised land.

현대도시의 광야로서 순례지의 의미 및 공간구성 연구 : 갑곶순교성지를 사례로

이승지(인천가톨릭대학교)

I. 서론

과학과 이성의 시대, 사회의 세속화, 합리화, 다원주의 등으로 불리는 오늘날의 세계에서 종교가 필요한가에 대한 의문이 제기된다. 철학자 김형석(2016)은 이에 대하여 다른 의견을 개진하는 철학자들을 예로 든다. 오귀스트 콩트(Auguste Comte)는 근대사회로 접어들면서 과학의 발달과 더불어 종교는 설 자리를 상실해가고 있다고 한다. 하지만 막스 셸러(Max Scheler)는 인간은 종교적 신앙, 철학적 사유, 과학적 영역을 동시에 갖고 있으며 시대와 사회적 여건에 따라 비중의 차이는 있지만 탐구의 과제와 영역이 다를 뿐이라고 보았다. 역사가 보여주는 현실은 두 철학자의 주장이 다 정당하다는 것이다.[1] 하지만 저자는 지식으로 무장하여 종교로부터 중립을 유지하던

---

1) 김형석, 『백년을 살아보니』 (덴스토리, 2016), 139-140.

지인들이 죽음의 순간에 종교에 귀의하는 모습을 예로 들며 현대인에게도 종교가 필요한가라는 질문에 대한 대답을 대신한다.

인간에게 종교는 근원적이고 영원한 삶의 의미와 씨름하는 본질적인 문제들 중의 하나이다. 인간은 초월적이고 성스러운 대상에 대한 관심과 그것과 관계를 맺고 싶은 강한 열망을 가지고 있다. 진정한 종교는 시대적 특성과 무관하게 초월적인 대상을 통하여 사람들에게 삶의 방향을 제시해준다. 사람들이 성스러움을 경험하고, 궁극적 실재와 만나고, 영원한 것을 바라보며 살도록 도와줌으로써 현대인들을 위로하고, 희망을 주며, 치유한다. 성지순례는 복잡하고 세속적인 현대도시에서 이러한 종교의 역할을 가장 잘 수행할 수 있다는 측면에서 권고되고 있다.

광야는 이스라엘 민족이 하느님을 경험하고 예수님이 공생애 직전 기도에 몰입하셨던 곳으로서 그리스도교에 있어 중요한 종교적 의미를 가진다. 다수의 사건이 발생하는 무대로서 광야는 그 물리적인 공간을 넘어서 영적 체험을 통하여 영적 생명에 이르는 과정으로 인식된다. 종교가 사상계의 큰 영역을 차지하였던 과거와는 달리 현대에는 개인들의 영적인 체험의 중요성이 부각된다. 본 연구는 현대 도시에서 이러한 체험을 가능하게 하는 곳으로서 성지순례의 행위가 이루어지는 순례지에 주목하고자 한다. 순례지는 거룩한 장소를 방문하고 예배에 참석하는 등 신앙체험의 주요 매개체로서 현대도시에서 광야로서의 의미를 찾아볼 수 있다. 본 연구에서는 현대도시의 광야로서 순례지의 의미를 고찰하고, 갑곶순교성지를 대상으로 그 공간구성을 분석한다. 이를 통하여 현대도시에서 광야로서의 의미에 부합한 순례지의 공간구성을 모색해 보고자 한다. 전 세계적으로 순교자 현양이 가장 활발히 이루어지고 순례지 중 순교성지의 비율이 큰 우리나라에서 광야의 신학적 의미에 부합한 순례지의 발전적 방안을 모색하고 제시한다는 측면에서 본 연구는 의의를 가진다.

II. 현대도시의 광야로서 순례지 의미 고찰

1. 광야

광야는 물리적인 공간 측면에서 인구가 희박한 경작되지 않는 땅이다.[2] 성경에서 광야는 중요한 인물 및 사건들과 밀접하게 관계를 맺음으로써 신학적 의미를 가진다. 성경에는 광야라는 말이 400번 이상 나온다.[3] 출애굽한 이스라엘 백성들의 40년 동안의 유랑, 모세와 선지자 엘리야의 피신생활, 그리고 예수님의 공생활 시작 전 40일 동안의 기도 등과 같이 다양하고 중요한 사건들이 발생하는 지점으로 부각된다. 그래서 광야의 황량함과 외로움에도 불구하고, 강사문(2000)은 광야에서 이상적인 신앙을 찾는 신학적 경향이 나타나며 유대-기독교 신앙을 탄생시킨 참된 여호와 신앙의 출생지라고 한다. 광야는 하느님을 기억하는 곳으로서, 이스라엘 백성이 자신들 삶의 한가운데에 오셨으며 선조들을 통하여 당신의 사랑을 드러내셨던 그 하느님을 잊지 않으려 노력한 곳이다. 이런 이유로 수도자들이 모여 하느님을 만나는 경험을 추구하기 위한 수도원들도 유대 광야에 세워졌다.[4]

이러한 측면에서 송봉모(1998)는 광야를 고통과 보살핌의 두 얼굴을 가진 장소로 규정한다. 한편에서는 생명의 위협을 느끼게 하는 고통의 얼굴을 보이는 장소이며, 다른 한편에서는 놀라운 섭리와 보살핌이라는 얼굴을 보이는 장소이다.[5] 사람들은 물과 식량의 부족, 질병과 맹수의 위협 등 삶의 조건이 결여되어 있는 광야에서 결국 자신의 힘으로 생존할 수 없음을 알게 되고 하느님의 도움으로 모든 것이 해결되는 보살핌을 체험하면서 하느님의 말씀을 귀를 기울이게 된다. 광야라는 뜻의 히브리

---

2) 히브리 성경의 '미드바르'가 우리 번역에서 광야 또는 황무지로 번역되지만 정확한 의미는 사막이다. 하지만 성경에서는 사막 외에 목축이 가능한 땅과 도시 등이 미드바르로 표현되어 있는 경우도 있다. (강사문, 「성경에서의 광야(사막)의 주제」, 『장신논단』, 제16집(2000년 12월): 15-17).
3) 송봉모, 『여수 새 시대를 여심』(바오로 딸, 2016), 104.
4) 강사문, 「성경에서의 광야(사막)의 주제」, 10-11.
5) 송봉모, 『광야에 선 인간』(바오로 딸, 1998), p.32.

어인 '미드바르'의 어원은 '하느님 말씀'을 의미하는 '다바르'이다.[6] 광야는 하느님이 말씀하시고 인간은 그 말씀을 들음으로써, 모든 것이 하느님께 의존되어 있다는 것을 깨닫게 되는 영적 체험을 하는 곳이다.

야곱의 후손들이 이집트를 떠나 이스라엘의 민족이 되기까지 존재 자체가 거듭나는 자기 정화와 자기 정립의 과정을 거쳐야 하였던 것이 광야의 적극적 의미이다.[7] 광야는 과거 세속적 삶의 양식을 버리고 과거의 인생관을 버리고, 새로운 세계의 양식과 인생관을 갖기 위한 과정이다. 광야는 머무름의 장소가 아닌 지나가야 할 신앙의 여정으로서 하느님의 말씀을 기다리는 기다림의 땅이 된다. 잠깐의 심판이 지나면 약속의 땅에 들어갈 소망이 있는 전이적 기능(transitional function)을 한다.[8]

즉, 광야의 의미는 하느님에 대한 1)기억을 지속하는 곳이며, 하느님께 의존하는 2)진실된 체험이 이루어지는 곳이며, 하느님을 통하여 3)영적인 변화를 경험하는 곳이다.

2. 순례지

1) 순례 및 순례지(성지)

순례는 종교의 발생지, 본산(本山)의 소재지, 성인의 무덤이나 거주지와 같이 종교적인 의미가 있는 곳을 찾아다니며 방문하여 참배함[9]으로 정의된다. 깊고 밀도 높은 영성생활을 위해 신앙의 원체험을 경험하고자 다양한 형태의 순례가 이루어진다. 순례는 성지를 찾아 축제와 예배에 참석하고 그 장소에 얽힌 종교 전승을 실존적으로 체험하고 자신이 속한 종교 공동체의 정체성과 일체감을 확인하는 효과가 있다.[10] 따라서 신앙인은 순례를 통하여 자신의 종교적 삶을 성취해 나간다. "순례는, 우리가 세례를 통해 받아들인 믿음을 온 존재로 살아 내기 위해 우리 신앙의 핵

---

6) 송봉모, 『여수 새 시대를 여심』, 106.

7) 송봉모, 『광야에 선 인간』, 16.

8) 강사문, 「성경에서의 광야(사막)의 주제」, 14.

9) 네이버 국어사전 http://krdic.naver.com/

10) 문화체육관광부, 『한국 천주교 문화유산 실태조사 및 활용방안』 (2012), 107.

심인 예수 그리스도를 새롭게 만나기 위한 목적을 갖고 내딛는 깊은 신앙의 투신 행위입니다."[11]

이러한 순례의 대상지에 해당하는 순례지의 라틴어 어원은 상뛰아리움(sanctuarium)이며 한국에서 이를 성지로 번역한 것으로, 즉 성지와 순례지는 동일한 의미이다.[12] 보편적 의미에서 성지는 거룩한 장소를 의미한다. 종교적 측면에서 성지(聖址)는 중요한 의미를 가지는 사건이나 건축물이 있었던 터를 성역화 한 곳을 가리키며[13], 천주교에서는 성모 마리아, 성인, 순교자 등과 관련하여 교회사적으로 중요한 가치가 있는 유적지를 의미한다. 성서의 내용에서 성지(순례지)는 히브리인들이 하느님이라 부르는 신에게 은혜를 받거나 또는 그 분과 어떤 문제를 상의하기 위해 찾아간 성스러운 장소를 칭한다.[14] 이에 반해 성지(聖地)는 거룩한 땅으로, 그리스도교의 발상지로서 예수 스리스도교께서 생활하시고 돌아가셨다가 부활하신 땅인 팔레스티나를 가리키며, 성경의 사건들과 연관된 장소를 일컫기도 한다. 이러한 성지(聖地)와 성지(聖址)의 개념적인 차이에도 불구하고 최근에는 중요한 성지(聖址)도 성지(聖地)로 포함시켜 부르는 추세이다.[15] 순례는 모든 종교에서 발견되는 본질적인 현상들 가운데 하나로서 구체적으로는 거룩한 장소를 향한 회귀를 의미하는데, 이처럼 인간은 생명의 원천인 거룩함이 지배하는 장소로 되돌아가고자 한다. 이러한 의미에서 동서양을 막론하고 신적인 현헌의 장소들은 단지 성전만이 아니라 거룩한 물이 흐르는 곳, 또는 몇몇 언덕이나 동굴들, 심지어 거룩한 나무들과 연관되어 있다고 보는 것이다.[16]

---

11) 까를로 마짜, 『순례영성』(가톨릭출판사, 2005), 옮긴이의 말 (이기락, 「신앙생활과 성지순례-순례사목을 중심으로」, 『가톨릭신학과 사상』, 제57권 (2006년 9월): 132 재인용).

12) 천주교 용어집(한국천주교주교회의, 2014)에서도 순교지에 대한 설명은 성지를 참조하도록 하고 있다.

13) 문화체육관광부, 『한국 천주교 문화유산 실태조사 및 활용방안』, 34.

14) 이기락, 「신앙생활과 성지순례-순례사목을 중심으로」 (박수경, 「영적 치유의 경관에 관한 지리학적 고찰: 한국 천주교 순례지를 중심으로」, 『대한지리학회지』 제51권 제1호 (2016년 2월): 147 재인용).

15) 한국천주교주교회의, 『천주교 용어집』, (2014),

16) 이기락, 「신앙생활과 성지순례-순례사목을 중심으로」, 133.

윤민구(2013)는 가톨릭 교회 교회법 제1230조의 "순례지는 신자들이 교구 직권자의 승인 아래 특별한 신심 때문에 빈번히 순례하는 성당이나 그 밖의 거룩한 장소를 뜻한다."에 의거하여 세 가지 순례지 지정 요건을 제시한다.[17]

① 성당이나 거룩한 장소

② 신자들이 특별한 신심 때문에 빈번히 찾아가는 순례의 장소

   : 특별한 신심은 성인들이나 순교자들에 대한 신심을 의미하며, 따라서 특별한 신심 때문에 빈번히 순례하는 장소는 성인들이나 순교자들과 관련 있는 곳, 성모 발현지, 성인들이나 순교자들의 무덤, 순교자들의 순교지 등을 의미함

③ 교구 직권자인 교구장의 승인

   : 신자들이 특별한 신심 때문에 빈번히 어느 장소를 순례하더라도 그 곳은 사적인 성지에 지나지 않음. 그곳이 거룩한 곳인지 아닌지를 교구 직권자가 그 진위를 검증하여 순례지로 승인해야만 비로소 그곳이 공적인 교회의 순례지로 지정됨

2) 순례지의 공간구성

종교적 공간은 종교의식을 수행하고 신앙심을 고취할 수 있도록 건축적 공간이 구성된다. 순례지 역시 순례자의 이동 및 영적 여정에 맞추어 공간이 구성될 필요가 있다. 최재상 · 고성룡(2013)[18]은 순례지의 조성배경, 공간구성, 시설물 등의 특성을 분석함으로써, 〈표1〉과 같이 순례자의 동선에 따라 진입공간-기념공간(순례공간/참배공간)-미사공간-편의공간(교육공간/친교공간)으로 공간을 구분하고, 각 구성 및 시설물을 도출하였다. 각 순례지는 순례자들을 위해 대부분 공통된 공간 및 시설을 갖추고 있었으며, 순례 동선은 이러한 공간 및 시설물을 따라 그 여정이 이루어지고 있다.

---

17) 윤민구, "손골성지 50주년을 준비하며", 『손골』, 제89호 (2013년 5월), 2013, www.rimartyrs.pe.kr

18) 최재상 · 고성룡, 「한국 가톨릭 순례성지 공간구성 및 시설 계획 연구」, 『대한건축학회 연합논문집』, 제15권 제6호 (2013년 12월): 126.

① 진입공간 : 성지에 도착해서 순례를 시작하기 전 단계

② 기념공간 : 야외 공간으로서 긴 동선을 따라 순례행위가 이루어지는 공간

    - 순례공간 : 동적 순례행위

    - 참배공간 : 정적 순례행위

③ 미사공간 : 미사를 드리는 공간으로 하느님의 신앙에 다가가는 절정의 단계

④ 편의공간 : 성당 주변의 시설물이나 공간 등을 관람하고 휴식을 취하는 공간

    - 교육공간 : 하루 이상의 장시간 머무르는 공간

    - 친교공간 : 순례의 마지막 단계에서 잠시 머무는 공간

순례지의 개발은 순례자들로 하여금 성스러운 분위기에서 순교자들에게 경건하게 기도를 바치고, 필요한 것을 청하고, 순교자의 영성을 본받아 자신의 신앙을 쇄신할 수 있도록, 그들에게 조용한 기도의 장소와 필요한 시설을 제공하려는 데 그 의미와 목적을 둘 필요가 있다.[19)]

〈표 1〉 순례지의 공간구성 및 시설물

구분		공간구성 및 시설물
진입공간		표지석, 안내판, 부속주차장, 화장실, 안내사무실
기념공간	순례공간	십자가의 길, 로사리오의 길, 기도실(성체조배실), 기타공간
	참배공간	순교자나 성직자 묘, 예수상, 성모상이나 성인상, 성모동굴이나 성모동산, 조형물, 순교탑, 순교터
미사공간		성당, 경당, 야외제대
편의공간	교육공간	유물관 및 전시관, 교육관(피정의 집), 강당
	친교공간	쉼터, 성물판매소, 식당, 기타공간

3. 현대도시의 광야 : 순례지

광야는 머무름의 장소가 아닌 지나가야 할 신앙의 여정이다. 광야는 하느님에 대한 기억을 지속하고, 진실된 체험을 하고, 궁극적으로 영적인 변화를 경험하는 곳으

---

19) 문화체육관광부, 『한국 천주교 문화유산 실태조사 및 활용방안』, 134.

로 의미를 가진다. 순례는 단순한 여행이 아니라 하느님을 향해 나아가는 영적 여정을 함축하고 있는 신앙의 행위라는 측면에서 순례지는 현대도시의 광야라고 할 수 있다. 빠르게 변화하고 복잡한 사회의 감각적 자극 또는 쾌락 속에서 현대인은 하느님의 말씀을 듣고 내면을 들여다봄으로써 자아를 성찰하기가 쉽지 않다. 인터넷과 스마트폰이 일상화된 생활은 타인과의 관계 맺기에 집중되어 있으며, 자기 자신과의 소통은 더욱 어렵게 만든다. 이러한 환경 속에서 신앙인들은 깊은 영적인 변화를 갈망하면서 순례지를 찾는다. 이기락(2006)은 사람들이 구체적으로 자신이 처한 죄의 상태로부터 쇄신되고자 하는 강한 열망을 품고 순례지로 출발한다고 규정한다. 이 회개 사건 안에서 인간을 '늘 새롭게 만드시는' 하느님의 은총 행위가 드러나며 회개의 과정은 '절대 진리'이신 하느님을 깨닫도록 한다. 그러므로 순례가 겨냥하는 목표인 회개는 '은총 중의 은총'이며, 인간으로 하여금 확실히 하느님의 나라에 참여하도록 이끌어 주는 필수적인 은총인 것이다.[20]

　　본 연구에서는 위와 같은 순례의 행위를 담아내기 위하여 광야의 의미에 부합한 각 순례지 내 공간을 〈표2〉와 같이 도출하였다. 광야의 첫 번째 의미인 기억의 지속을 위한 순례의 행위는 하느님 및 순교자의 영성을 기억하는 것이며, 순례지의 공간은 참배공간에 해당한다. 순교를 자처했던 모범적인 신앙의 선조들의 영성을 확인하고 장소에 얽힌 종교 전승을 실존적으로 체험한다. 광야의 두 번째 의미인 진실된 체험을 위한 순례의 행위는 하느님의 궁극적인 존재를 경험하게 되는 것으로, 순례지의 공간은 미사공간에 해당한다. 일상의 종교의식인 미사도 순례지에서는 더 강렬하게 느껴지며 이를 통하여 자신이 속한 종교 공동체의 정체성과 일체감을 확인한다. 세 번째 의미인 영적인 변화를 위한 순례의 행위는 자기 정화와 정립을 통하여 새로운 인생관을 갖추고 실존을 변화시키는 것이며, 순례지의 공간은 순례공간에 해당한다. 단순함과 고요함 속에서 참된 영성적인 가치들의 심화를 경험하고 회개를 통한 새로운 모습으로 거듭나는 전이적 기능이 가능하다.

20) 이기락, 「신앙생활과 성지순례-순례사목을 중심으로」, 133.

<표2> 광야의 의미별 순례지 공간

광야 (의미)	순례 (행위)	순례지 (공간)
기억의 지속	하느님 및 순교자의 영성을 기억 → 장소에 얽힌 종교 전승을 실존적으로 체험	참배공간
진실된 체험	하느님의 궁극적인 존재 경험 → 자신이 속한 종교 공동체의 정체성과 일체감을 확인	미사공간
영적인 변화	자기 정화와 정립을 통한 실존의 변화 → 영성적인 가치들의 심화 및 전이적 기능	순례공간

III. 갑곶순교성지의 공간구성 연구

1. 갑곶순교성지의 개관

1) 순교성지

박수경(2016)이 분석한 우리나라 순례지는 총 328개소이며, 순례지의 형태 및 그 분포는 <표3>과 같다.[21] 일정 기간 동안의 수련생활을 목적으로 하는 피정의 집을 제외하고는 순교의 역사와 관련이 있는 순례지가 많이 분포되어 있음을 알 수 있다. 한국의 천주교는 100여년 동안 계속된 박해로 인하여 순교자들과 관련된 거룩한 장소들이 많다. 한국 천주교의 순교자에 대한 공경은 1791년 윤지충(바오로)과 권상연(야고보)이 순교한 직후부터 시작되었다고 볼 수 있다. 이 때부터 이미 신자들의 자발적인 순교자 묘지순례, 즉 성지순례가 실행됐다. 최경선(2003)은 한국인들은 비록 죽음을 부정한 것으로 여기고 있었지만 신앙이나 효를 위해 목숨을 바치는 행동에 대해서는 아름다운 덕행으로 여기는 전통적인 죽음관이 우리나라 순교자 신심에 작용한다고 해석하였다.[22]

---

21) 박수경, 「영적 치유의 경관에 관한 지리학적 고찰: 한국 천주교 순례지를 중심으로」, 149.
22) 최경선, 『한국 근현대 100년 속의 가톨릭 교회(상)』, (가톨릭출판사, 2003), 145 (이에 해당되는 내용으로는 불교가 한국(신라)에 전해지던 초기에 이차돈이 순교한 일화가 있고, 아버지의 눈을 뜨게 하려는 효심으로 인해 기꺼이 자신의 목숨을 바치고자 한

이후 오랜 박해기간 동안 신자들은 순교자 현양운동을 자발적으로 벌이기 시작하였으며, 1925년 한국 천주교의 공식 순교자현양운동이 각 본당별로 전개되었다. 1946년 한국천주교순교자현양회가 발족되었으며, 1960년대 병인순교 100주년을 기념하여 새남터, 절두산 성지 등을 조성하였으며, 각 지역의 교구별로도 성지 개발을 통한 현양운동이 활발히 전개되었다.[23] 한국 천주교는 전 세계에서 성지순례와 순교자 현양이 가장 활발한 나라이다.[24]

〈표3〉 우리나라 순례지 형태별 분포

순례지 형태	개소	비율
공소	3	0.9%
묘지	18	5.5%
성당	13	4.0%
성인 탄생지 및 고향, 생가	7	2.1%
순교지	49	14.9%
신앙 공동체	2	0.6%
피정의 집	167	50.9%
성지 복합*	39	11.9%
기타*	30	9.1%
합계	328	100%

* 한 순례지에 2개 혹은 그 이상 성격의 순례지가 함께 모여 있는 형태를 의미하는 것이며, 기타에는 기념경당, 박물관 등이 포함됨.

2) 갑곶순교성지

갑곶순교성지는 인천광역시 강화군 강화읍 갑곶리의 강화대교 일대에 위치한 천주교 순교지이다. 강화도는 19세기 후반 동·서양의 역사의 첨예한 갈등을 상징하는 곳으로, 강화도에서 신자의 순교지로 명기된 곳은 진무영과 갑곶진두 두 곳이다. 1866년 병인양요를 계기로 진무영에서, 1871년 신미양요를 계기로 갑곶진두에서 많

판소리 심청가의 내용을 들 수 있다).
23) 문화체육관광부, 『한국 천주교 문화유산 실태조사 및 활용방안』, 131-133.
24) 문화체육관광부, 『한국 천주교 문화유산 실태조사 및 활용방안』, 26.

은 신자들이 효수되었다.

인천교구 순교자현양위원회는 문헌 상 갑곶진두의 위치를 파악한 후, 순교자의 선혈로 얼룩진 갑곶돈대 앞 해안과 가까운 언덕바지를 순교지를 매입하여 1999년부터 성지를 단장하기 시작하였다. 2001년 9월 신묘양요 때 순교한 박상손, 우윤집, 최순복 순교자비를 세우고, 순교자들의 행적 증언자이자 인천교구 역사의 증인인 박순집 베드로의 유해를 천묘함으로써 본격적인 순교성지로서의 위상을 갖추어 나갔다.[25] 2012년 인천교구 50주년 기념 영성센터를 준공하고 개관함으로써 현재의 모습을 갖추었다. 영성센터는 총 세 개의 건물로 건립되었다. 신미양요 때 이 곳에서 순교한 세 순교자를 기리고자 박상손관(A관), 우윤집관(B관), 최순복관(C관)으로 명명하였으며 박상손관과 우윤집관은 피정의 집으로 최순복관은 성당과 사제관, 수녀원으로 활용되고 있다. 천주교 관련 역사성이 짙은 강화도에 형성된 인천교구의 대표적 순교성지인 갑곶순교성지는 세속화 되어가는 현대사회에서 잃기 쉬운 신앙 선조들의 순례자적인 영성을 고취하는데 기여하고 있다. 갑곶순교성지의 방향성은 모바일 홈페이지의 성지소개 인사말에서 명확히 제시되고 있다.

성지순례는 기도입니다.
기도하실 목적이 아니라면 군이 차비들어 이 먼 곳까지 오실 필요가 없는 곳입니다. 도시락도, 단체행동도, 기념사진 촬영도, 각종 모임도, 기도보다는 덜 중요한 일들입니다. 성지를 오기 전까지 그렇게 덜 중요한 것들에 목숨 걸고 살아오셨다면, 그것을 버리고자 노력하는 일이 곧 기도요, 성지순례가 아닐까 싶습니다.
이 곳 갑곶순교성지는 목숨까지 바쳐가며 중요한 것 한가지를 지켜내시고자 했던 순교자들의 얼이 묻힌 곳이기 때문입니다. 저희들은 이곳을 관람이나 학습을 위한 곳이 아니라, 기도의 성전이 될 수 있도록 꾸미는 데 최선을 노력을 다하겠습니다.
부디 이곳을 통하여 혼돈과 어둠이 묻은 삶의 흔적들을 잘 떨구고 가시길 기도드립니다.[26]

---

25) 갑곶순교성지 리플렛
26) 갑곶순교성지 모바일 홈페이지 http://gabgot.com/insa

〈그림 1〉 갑곶순교성지의 자연경관
(출처 : http://blog.naver.com/ghroh7)

갑곶순교성지 역시 대부분의 순례지와 유사하게 마스터플랜의 수립에 따라 체계적으로 조성되었다기 보다는 필요에 따라 추가적으로 조성되어 왔다. 갑곶순교성지는 용도지역은 계획관리지역이며, 군사시설보호법에 의한 제한보호구역, 문화재보호법에 의한 현상변경 허가대상구역으로 높이 등의 건축행위에 제한을 받으며 일부 지역은 건축행위가 불가하다. 이러한 제한이 오히려 갑곶순교성지의 수려한 경관을 보호해주는 역할을 하는 것으로 판단된다.

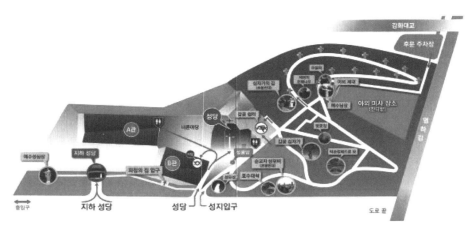

〈그림 2〉 갑곶순교성지 안내도 (출처: 갑곶순교성지 리플렛)

2. 현대도시의 광야로서 갑곶순교성지의 공간구성

1) 기억의 지속

광야의 첫 번째 의미인 기억의 지속을 위한 순례의 행위는 하느님 및 순교자의 영성을 기억하는 것이며, 순례지의 공간은 참배공간에 해당한다. 갑곶순교성지에 조성

된 참배공간은 순교자 삼위비, 박순집 베드로묘, 효수대석, 우물터, 역사전시실로 구성된다.[27]

<표 4> 광야의 의미로서 기억의 지속을 위한 갑곶순교성지 공간 및 시설물

광야 (의미)	순례지 (공간)	갑곶순교성지
기억의 지속	참배공간	순교자 삼위비, 박순집 베드로묘, 효수대석, 우물터, 역사전시실

순교성지 내 순교자의 묘, 순교탑, 순교비 등은 신자들이 경배하는 가시적 경관으로서 필수적 요소이다. 갑곶순교성지에는 신미양요 때 순교한 박상손, 우윤집, 최순복의 삼위비가 조성되어 있다(그림3). 순교자 삼위비는 순교성지의 중심적 잔디광장에 위치하고 있다. 삼위비 앞에는 초봉헌대와 봉헌기도문이 배치되어 숭고한 희생을 기억하고 기림과 동시에 그들의 영성을 본받아 자신의 신앙을 쇄신할 수 있도록 조성되어 있다(그림4). 또한 순교자는 아니지만 순교자들의 유해를 모시는 일에 일생을 바친 '신앙의 증거자' 박순집(베드로)의 묘가 모셔져 있다[28](그림5). 우리나라 사람들은 묘소를 참배하고 가꾸는 유교적 효정신을 가지고 있고, 현세주의적 죽음관에서 종교를 위한 순교를 고귀한 죽음으로 여기기 때문에 순교성지에 있어서 묘는 가장 상징적인 경관이다. 갑곶순교성지의 경우에도 이러한 필요성에 의하여 박순집의 묘를 조성한 것으로 판단된다. 성지 내 유일한 묘로서 상징성을 가짐에도 불구하고 중심적 잔디광장으로부터 벗어난 위치에 묘가 조성되어 있고 기도

---

27) <표1>에서 제시된 순례지의 참배공간에는 이 외에도 예수상, 성모상이나 성인상, 성모동굴이나 성모동산 등이 있고, 갑곶순교성지에도 이러한 공간 및 시설물이 존재하지만, 본 연구에서는 순교성지라는 특성에 초점을 맞추어 순교자의 영성을 기억하는 요소로 제한하여 검토한다.

28) 비록 참수 치명자는 아니지만 그는 죽음을 각오하고 순교자들의 시신 수습과 안장에 앞장 섰다. 또한 '박순집 증언록'을 엮어서 순교자들의 행적을 증언하여 유해발굴과 시복시성에 큰 역할을 함으로써 우리가 순교자들의 유해를 직접 보고 조배를 드릴 수 있게 하는 결정적 역할을 하는 순교 역사의 증거자가 되었다 (갑곶순교성지 리플렛 및 성지 내 안내판 참조).

〈그림 3〉 순교자 삼위비

〈그림 4〉 순교자 삼위비 초봉헌대

〈그림 5〉 박순집 베드로 묘

〈그림 6〉 증거자 박순집묘 안내판

〈그림 7〉 효수대석

〈그림 8〉 우물터

〈그림 9〉 역사전시실

〈그림 10〉 역사전시실 콘텐츠

를 올릴 수 있는 초봉헌대가 조성되어 있지는 않는 것은 순교자가 아니기 때문으로 판단된다(그림6).

순교터의 상징으로서는 효수대석과 우물터가 조성되어 있다. 효수대석은 순교자 삼위의 효수형을 할 때 사용되었던 것으로 순교비 옆에 위치함으로써 실존적 체험을 강화한다(그림7). 우물터는 현재 위치가 과거에 많은 사람들이 왕래하던 곳이라는 것을 보여주는 역사유적으로서, 순교자 세 분이 이 곳에서 효수 당하신 까닭의 증명으로서 야외제대 근처 실제 우물이 위치하던 곳에 조성되어 있다(그림8). 마지막으로 역사전시실은 순교성지의 사무실 앞에 전시홀로 구성되어 있다(그림9).'다시 보는 인천교구 역사'라는 주제 하에 인천교구의 역사적 발전과정, 나주교의 소장품, 마더 테레사와 김수환 추기경의 방문기록, 교구청의 감실 등이 전시되어 있다(그림10). 갑곶순교성지의 역사적 내용보다는 인천교구의 전반적인 역사가 전시되어 있다. 이는 갑곶순교성지에 대한 역사적 내용이 풍부하지 않을 뿐만 아니라 최근에 조성되어 관련 자료 및 연구가 미비하여 전시실을 구성할 만큼의 콘텐츠가 마련되지 못하였을 것으로 판단된다.

우리나라의 순례지 대부분은 성지순례 프로그램이나 공간구성이 비슷하다는 한계를 가진다. 순례지를 방문하는 목적이 동일하다는 측면에서 야기되는 문제일 수 있지만 각 순례지가 내포하고 있는 고유한 역사적 그리고 장소적 진정성을 반영하여 그 특성을 규명하고 지속가능한 조성 방향의 설정이 필요하다. 이를 위하여 현대도시의 광야로서 기억의 지속 측면에서는 순례지의 스토리텔링을 강화할 필요가 있다. 갑곶순교성지의 경우 순교자들의 행적 증거자로서 박순집 베드로 묘를 천묘한 것은 스토리텔링 구축의 한 사례로 볼 수 있다. 이 외에도 지속적인 연구를 통하여 갑곶순교성지와 관련한 자료를 수집하고 이를 콘텐츠로 구현함으로써 순례자들이 하느님과 순교자의 영성을 기억할 수 있도록 유도한다.

2) 진실된 체험

광야의 두 번째 의미인 진실된 체험을 위한 순례의 행위는 하느님의 궁극적인 존재를 경험하게 되는 것으로, 순례지의 공간은 미사공간에 해당한다. 갑곶순교성지에 조성된 미사공간은 본관성당, 지하성당, 야외제대로 구성된다.

광야 (의미)	순례지 (공간)	갑곶순교성지
진실된 체험	미사공간	본관성당, 지하성당, 야외제대

　　모든 종교는 체험에서 비롯되며 체험을 통하여 종교를 이해하게 된다. 천주교의 경우 세례를 받고 미사를 통하여 기도를 올리는 등의 행위가 해당된다. 순례자들에게 순례행위의 일부로서 하느님에게 올리는 제사의식인 미사는 중요한 의미를 가진다. 갑곶순교성지에는 본관성당, 지하성당, 야외제대가 조성되어 있다. 갑곶순교성지는 성지가 활성화되어 일시에 방문하는 순례자의 규모가 커짐에 따라 필요한 공간들을 확보하여 왔다. 본관성당은 약 300명을 수용 가능한데 그 이상의 대단위 순례객이 방문하는 봄과 가을에는 지하성당에서 미사를 올린다. 또한 삼위비 앞 잔디광장에 야외제대가 형성되어 있는데, 이는 영성센터가 건립되고 교구 차원의 행사가 늘어나면서 현재는 사용되지 않고 있으며, 순교자현양대회와 같은 대규모 행사까지 수용 가능하도록 후문주차장 근처에 조성된 야외제대가 활용되고 있다.

　　1999년 조성을 시작한 갑곶순교성지는 초기에는 원래 위치하고 있던 건축물을 리모델링 하여 경당으로 활용하다가 (그림11) 2012년 인천교구 50주년 기념 영성센터를 건립하면서 현재의 성당 및 피정의 집 등이 조성되었다(그림12). 종교건축은 공간이나 형태를 구성함에 있어 그 중요성을 나타내기 위하여 예외적인 크기(exceptional size), 독특한 형태(a unique shape), 그리고 의도적인 입지(a strategic location)의 세 가지 원리를 적용한다.[29] 갑곶순교성지는 사적 제306호로 지정된 갑곶돈과 사적 제452호로 지정된 강화외성 보호구역 주변에 위치하여 일부 대지에는 건축행위가 불가할 뿐만 아니라 건축물 높이를 규제[30]하는 현상변경 허용기준을 준수

---

29) *Francis D.K. Ching, Architecture: Form, Space, and Order*(Hoboken, Van Nostrand Reinhold Co., 1979), (정은혜, 「신성공간이 주는 새로운 경관적 시각과 장소적 함의: '절두산 순교 성지'를 사례로」, 『한국사진지리학회지』, 제22권 (2012년): 75 재인용)

30) 경사지붕은 건축물 최고높이 12m이하, 평지붕은 건축물 최고높이 8m이하의 건축이 가능하도록 되어 있으며, 문화재심의에 따라 지하층 및 3층 건축이 가능하도록 되어 있다.

〈그림 11〉 2006년 경당 (출처:doopedia 포토커뮤니티)

〈그림 12〉 2016년 영성센터 모형 (출처:dmp건축사사무소)

〈그림 13〉 갑곶순교성지 진입부

〈그림 14〉 본관성당과 순례길 진입부

〈그림 15〉 지하성당 진입부

〈그림 16〉 본관성당 내부

〈그림 17〉 본관성당 내 기도 지향 메모 및 봉헌초

〈그림 18〉 지하성당 내부

하여야 하였으므로 일반적으로 높은 첨탑을 통한 예외적인 크기를 부각하는 성당 건축을 실현할 수 없었다. 하지만 성당의 존재감을 부각시키기 위한 장치들이 마련 되어 있다. 단지 전체의 진입동선의 방향과 건물의 배치가 평행하기 때문에 동선의 방향이 성당으로 향하고 있지 않아서 단지로 진입하는 길에서는 성당의 존재감이 드러나지 않다(그림13) 성당과 순례길로 구분되어 조성된 주요 진입부에 도달하는 순간 조형적인 형태와 차별화된 색채의 건축물이 드러난다(그림14). 즉 의도적인 입 지와 독특한 형태가 적절히 활용되어 첨탑의 부재를 극복하고 있다. 반면 지하성당 은 원래 주차장으로 계획되었던 곳이므로 진입 및 공간의 극적인 요소는 부재하다. 진입 출입문 위에 최후의 만찬 부조 조각을 설치하여 성당이라는 공간으로의 진입 성을 보완하고 있다(그림15).

본관성당 내부의 평면은 직사각형 형태와 백색으로 단순함이 강조되었다. 경사지 의 지형적 특성에 의해 고창을 통한 자연채광이 도입되지만 스테인드 글라스가 설 치된 깊은 창으로 빛의 유입이 제한된다. 인공조명은 제대에 집중시킴으로써 제대를 향하여 시선이 집중될 수 있도록 하고 있다(그림16). 오른쪽 벽을 활용하여 십자가의 길을 표현하여 예수의 수난과 죽음을 묵상할 수 있도록 하였고 제대에는 순교성지의 특성이 반영된 제례품들이 위치하고 있다. 특히 제대 앞에 신자들의 기도 지향을 메 모에 적어 꽂아 놓고 봉헌초를 올릴 수 있도록 설치해 놓음으로써 기도를 통하여 하 느님에게 다가설 수 있는 기회를 제공하고 있다(그림17). 지하성당은 원래 지하 주차 장으로 계획되어 있던 공간을 성당으로 용도변경 하였기 때문에 층고가 낮은 공간이 형성되었다. 천장이 낮고 빛이 제한된 지하성당의 내부는 숙연함을 자아내고 이는 순교성지라는 장소적 특성에 적합한 분위기를 형성한다(그림18). 또한 어두운 실내에 제대와 벽의 기둥에 설치된 십자가의 길 조각에 따뜻한 색온도의 하이라이트 조명을 상시 점등해 놓음으로써 미사 시간 외에 방문하는 순례자들에게도 극적인 느낌을 줄 수 있다.

일반적으로 진행되는 순례의 여정은 성당에서 미사전례 또는 성체조배를 시작으 로 순례길을 돌고 다시 성당에서 성체조배를 올림으로써 마무리된다. 순례자들의 순 례행위에 있어 미사는 중요한 일정이며 미사공간은 중요한 공간이다. 일정한 신자를 대상으로 진행되는 지역 성당과는 다르게 순례지에서의 미사전례는 상황에 따라 다양한 방문자 규모를 대상으로 진행된다. 따라서 갑곶순교성지와 같이 본관성당, 지하성당, 야외제대의 다양한 미사전례를 위한 공간을 갖추고 탄력적으로 대응하는 것이 필요하다. 또한 매주 방문하는 성당이 아니라 일회적으로 특별한 날 진실된 체험을 위하여 방문하는 성당인 만큼 그 특징을 잘 반영하여 순례 체험을 극대화시킬 수 있도록 한다. 특정 순례지가 형성하고 있고 줄 수 있는 분위기를 고려하여 고유한 시간과 고유한 장소에 적합한 미사전례가 봉헌될 수 있도록 고려한다.

3) 영적인 변화

광야의 세 번째 의미인 영적인 변화를 위한 순례의 행위는 자기 정화와 정립을 통하여 새로운 인생관을 갖추고 실존을 변화시키는 것이며, 순례지의 공간은 순례공간에 해당한다. 갑곶순교성지에 조성된 순례공간은 갑곶 십자가, 게쎄마니광장, 십자가의 길, 천국으로 가는 계단, 독서의 장, 성체조배실, 묵상의 마당으로 구성된다.

〈표6〉 광야의 의미로서 영적인 변화를 위한 갑곶순교성지 공간 및 시설물

광야 (의미)	순례지 (공간)	갑곶순교성지
영적인 변화	순례공간	갑곶십자가, 게쎄마니광장, 십자가의 길, 천국으로 가는 계단, 독서의 장, 성체조배실, 묵상의 마당

순례지는 자연 속에 조성되어 있는 경우가 많으며, 따라서 도시 성당에서 느낄 수 없는 자연의 가치와 심리적 안정을 통한 신앙체험을 가능하게 한다. 갑곶순교성지 역시 전면의 바다를 끼고 당산의 능선에 아름다운 경관을 품고 조성되어 일상에서 흔히 접할 수 없는 특별한 신앙적인 여행을 가능하게 한다. 성당과 순례공간으로의 진입동선은 각 분리되어 있는데, 성당으로의 진입동선이 평지로 조성된 반면 순례공간으로의 진입동선은 급한 경사로에 조성되어 차별화된 여행의 시작을 알리기에 적절한 공간적 장치로 해석된다(그림19). 경사로에는 성모상이 위치하여 순례를 시작하는 사람들을 맞이한다. 지형을 따라 나무를 이용하여 시각적으로 차폐된 좁은 산책로를 걷다가 시각적으로 개방된 넓은 잔디광장을 만나게 되는데 사람들이 걸어오는 동선의 방향과 마주보는 방향에 갑곶십자가가 위치하여 극적인 느낌을 배가시킨다(그림

20). 신자들이 갑곶십자가의 예수님 발에 손을 얹고 기도하는 모습을 보이며(그림5 참조) 이러한 기복신앙은 모든 인간에게 공통적으로 나타나는 현상이며 종교성의 표현이라고 할 수 있다. 잔디광장의 한 편에 조성된 게쎄마니광장에는 무릎을 세우고 앉아 절실한 표정으로 기도하는 예수님상이 있고 그 앞에 같은 자세로 기도할 수 있도록 되어 있어 종교적 의미와 동기를 부여 받기에 충분하다(그림21).

잔디광장을 지나 십자가의 길, 천국으로 가는 계단, 독서의 장의 순례 동선이 산책로로 자연스럽게 연결되어 있다. 갑곶순교성지의 이러한 순례동선은 개방적인 느낌보다는 풍부한 식재를 통하여 위요감이 형성되어 외부환경과 차단된 고요하고 단순한 공간에서 하느님의 말씀과 본인의 내면에 귀 기울일 수 있도록 환경이 조성되어 있다. 또한 산책로 중간에 주기적으로 조성되어 있는 일주문 느낌의 프레임에는 성경구절이 적혀 있어서 순례를 하는 동안 신앙을 고백하고 자신을 참회하고 돌아볼 수 있는 기회들을 제공한다(그림22). 갑곶순교성지에는 강화군이 조성한 강화나들길 중 제1코스 심도역사문화길이 관통하여 지나가는데 이러한 성경구절이 적힌 프레임은 강화나들길과 순교성지의 순례길을 차별화하는 좋은 요소로 활용되고 있다. 십자가 길은 세 쌍의 은행나무를 중심에 둔 광장으로부터 시작된다. 해당 광장에는 십자가를 진 예수님 상을 배치해서 경건함을 느낄 수 있도록 하고 십자가를 직접 지고 체험해 볼 수 있도록 다양한 크기의 십자가가 마련되어 있다(그림23). 이후 시작되는 십자가의 길은 예수님이 겪은 열 네가지 사건에 대한 조형물들이 설치되어 있다. 이는 인간적인 고통과 번민과 희생을 묵상할수 있도록 재현해 놓은 상징경관에 해당하며, 특히 갑곶순교성지에는 주요 사건 지점에 기도하고 묵상할 수 있도록 되어 있어서 순례체험을 극대화하고 있다(그림24). 또한 독서의 장은 산책로 중간에 조성된 작은 쉼터 같은 공간으로 자연 속에서 기도하고 느낄 수 있도록 아늑하게 조성되어 있다(그림25). 순례 과정에서 정화작용을 통하여 영적인 변화를 체험할 수 있도록 하기 위해서는 위와 같이 혼자서 또는 소수의 인원이 기도하고 묵상할 수 있는 공간의 조성이 필요하다.

갑곶순교성지에는 피정의 집이 조성되어 개인 또는 단체의 1박2일 또는 2박3일의 피정을 체험할 수 있다. 일정 기간 동안 일상적인 생활에서 벗어나 조용한 곳에서 일정한 프로그램을 통하여 신앙체험 및 종교적 수련을 하는 피정은 강의와 대화 등의

〈그림 19〉 성당과 순례공간 진입동선의 구분

〈그림 20〉 잔디광장 및 갑곶십자가

〈그림 21〉 게쎄마니 광장

〈그림 22〉 순례길 및 성경구절

〈그림 23〉 십자가의 길의 체험요소

〈그림 24〉 십자가의 길의 기도공간

〈그림 25〉 독서의 장

〈그림 26〉 피정의 집 묵상의 마당

방법이 추가되기도 하지만 그 근본은 기도와 묵상이라고 할 수 있다. 갑곶순교성지의 피정의 집은 소박하게 조성되어 있지만 곳곳에 천주교 상징의 그림 및 조각상이 배치되어 있고 1층에는 관련 서적들이 배치되어 피정의 목적에 부합하는 환경을 제공한다. 피정의 집 내에서 영적인 변화를 위한 기도와 묵상의 공간으로는 A동과 B동의 각 2층에 조성되어 있는 성채조배실과 외부의 묵상의 마당을 들 수 있다. 순례자들에게 성채조배실은 다른 순례자들로 인한 번잡함을 피하여 조용히 기도하는 공간이며 소단위 순례자들에게는 미사 공간으로 제공하기에도 적합하다.[31] 묵상의 마당에는 의도적으로 회랑을 조성하고 담장을 눈높이 이상 설치함으로써 외부와의 시선이 차단되어 피정의 집 내에서의 자신을 성찰할 수 있는 순례동선을 형성하였다. 잔디광장을 둘러싸며 배치된 열주들의 반복은 비례체계를 느끼게 하며 숭고한 분위기를 만들어 낸다 (그림26).

순례는 단지 신이 드러나는 장소를 방문하는 데 그치지 않고 신앙고백, 종교적 체험, 깊이 있는 묵상 등을 통하여 깊은 영적인 변화를 유도하는 데 그 궁극적인 목적이 있다. 순례자의 감성적인 체험을 통하여 하느님과 자신에 대한 기억과 정보를 스스로 찾아내고 돌아보고 앞으로 나아가야 할 방향에 대해서 다시 한 번 성찰할 수 있도록 환경이 조성되어야 한다. 갑곶순교성지는 이러한 측면에서 곳곳에 이곳이 기도하는 곳임을 알려주는 환경들이 다양하게 조성되어 있다. 순례지에 진입하는 순간부터 순례를 마치고 밖으로 나갈 때까지 다양한 체험 공간들이 밀도 높게 배치되어 연속적인 경험이 이루어질 수 있다. 이는 순간적이고 일시적인 신앙체험이 아닌 영적 변화의 내재화를 가능하게 한다. 현대에 조성되는 메모리얼들은 대상 및 사건에 대하여 사실적 재현을 통한 집단적이고 공적인 체험을 넘어서, 부재의 추상적 표현을 강조하며 개인적인 체험과 참여를 통하여 스스로 과거와 대면하고 치유하도록 계획되는 경향을 가진다.[32] 순교성지 역시 그 특성을 표현하기 위하여 과도한 재현에 의존하는 경우 단편적인 체험공간으로 치부되거나 종교에 대한 이해가 부족한 사람들에게는 희화화 될 수 있다. 따라서 현대 메모리얼의 경향과 유사하게 개인적인 기도와 묵상

---

31) 최재상·고성룡, 「한국 가톨릭 순례성지 공간구성 및 시설 계획 연구」, 127.

32) 문은미, 「현대메모리얼의 개념 표현 특성에 관한 연구」, 『기초조형학연구』, 제9권 제6호 (2008년): 205-206.

을 통하여 스스로 변화를 체험할 수 있도록 고요한 순례 동선과 독서의 장과 같은 자연에 둘러싸인 작은 쉼터들을 확대 시키는 것이 바람직하다.

IV. 결론

광야는 성경에서 다양한 사건들의 대상지이며 적의 침입에 의한 파괴적인 결과 또는 절망적인 상황으로부터 회복 등을 묘사하고 해석하기 위한 대상지로 활용된다. 이는 그리스도교에 있어 광야가 중요한 종교적 의미를 가짐을 의미한다. 광야는 영적 체험을 통하여 영적 생명에 이르는 과정으로 인식된다. 본 연구는 현대 도시에서 이러한 영적인 변화를 가능하게 하는 곳으로 신앙체험의 주요 매개체인 순례지를 주목하고 이를 현대도시의 광야로서 고찰하였다. 순례는 하느님에 대한 흠숭의 의미 뿐 아니라 성인에 대한 존경의 행위, 회개하는 행위, 영적인 은혜를 받기 위한 행위, 은혜와 감사하기 위한 행위로 인식되어 왔다.[33] 갑곶순교성지를 대상으로 현대도시에서 광야로서의 의미에 부합한 순례지의 공간구성을 분석하였으며, 그 결과 및 개선방안은 다음과 같이 요약할 수 있다.

〈표7〉 광야의 의미별 순례지 공간 및 갑곶순교성지

광야(의미)	순례(행위)	순례지(공간)	갑곶순교성지
기억의 지속	하느님 및 순교자의 영성을 기억	참배공간	순교자 삼위비, 박순집 베드로묘, 효수대석, 우물터, 역사전시실
진실된 체험	하느님의 궁극적인 존재 경험	미사공간	본관성당, 지하성당, 야외제대
영적인 변화	자기 정화와 정립을 통한 실존의 변화	순례공간	갑곶십자가, 게쎄마니광장, 십자가의 길, 천국으로 가는 계단, 독서의 장 성체조배실, 묵상의 마당

광야는 공간적으로는 인구가 희박한 경작되지 않는 땅이지만 신학적 의미는 다음과 같이 도출될 수 있다: 하느님에 대한 1)기억을 지속하는 곳이며, 하느님께 의존하

---

33) 최재상·고성룡, 「한국 가톨릭 순례성지 공간구성 및 시설 계획 연구」, 120.

는 2)진실된 체험이 이루어지는 곳이며, 하느님을 통하여 3)영적인 변화를 경험하는 곳이다. 순례지는 현대도시의 광야라고 할 수 있으며, 순례지는 광야의 의미 및 순례의 행위에 부합하는 공간으로 구성될 필요가 있다.

광야의 첫 번째 의미인 기억의 지속을 위한 순례의 행위는 하느님 및 순교자의 영성을 기억하는 것이며, 순례지의 공간은 참배공간에 해당한다. 갑곶순교성지에서는 순교자 삼위비, 박순집 베드로묘, 효수대석, 우물터, 역사전시실이 해당된다. 순교 기록을 근거로 삼위비, 효수대석, 우물터를 조성하고 초봉헌대를 설치하여 그들의 영성을 본받아 순례자의 신앙을 쇄신할 수 있도록 하고 있다. 순교자는 아니지만 순교자들의 행적 증거자로서 박순집 베드로 묘를 상징경관으로서 부각시킨 것은 순교성지의 스토리텔링을 강화한 사례로 인식된다. 현재의 역사전시실은 인천교구 관련 역사적인 자료로 채워져 있지만, 갑곶순교성지의 역사성 및 장소성의 강화를 위하여 갑곶순교성지에 대한 지속적인 연구를 통하여 충분한 콘텐츠를 구축하고 전시할 필요가 있다. 이러한 연구는 다시 갑곶순교성지만의 차별화된 순례동선 및 프로그램을 마련하기 위한 기초가 됨으로써 선순환 체계가 구축된다고 할 수 있다. 우리나라의 순례지는 비교적 최근에 인가를 받아 성립된 곳이 많아 성지와 사적지간의 정의 및 정체성도 미약하고 공간구성 역시 부족한 편으로 평가되고 있기 때문에[34], 연구를 통한 질적 수준의 강화는 순례자들의 영적 성숙에도 기여할 수 있을 것으로 판단된다.

광야의 두 번째 의미인 진실된 체험을 위한 순례의 행위는 하느님의 궁극적인 존재를 경험하게 되는 것으로, 순례지의 공간은 미사공간에 해당한다. 갑곶순교성지에 조성된 미사공간은 본관성당, 지하성당, 야외제대로 구성된다. 종교건축은 전통적으로 도시 및 마을에서 가장 중심적인 건축물이었으며 그 중요성을 부각하기 위하

---

34) 종교학자들 사이에서도 성지의 정의에 대한 의견이 통일되지 않으나 공통적으로는 전국에 성지라고 명명되는 곳이 늘어나고 개발이 진행되는 것에 우려하고 있다. 대표적 학자인 변기량은 성지라는 용어를 사용하지 않았다. 대신 순교성인과 관련된 성적지와 그렇지 않은 사적지로 분류하고 과장되지 않도록 원칙을 세우는 것이 중요하다고 강조했다 (김수형·민현준, 「가톨릭 성지에 있어서 외부를 포함한 미사 전례 공간에 대한 연구」, 『한국문화공간건축학회논문집』, 통권 51호 (2015년 8월): 257).

여 랜드마크적인 특징을 강화하여 왔다. 하지만, 갑곶순교성지는 계획관리지역 및 역사문화재 주변에 위치하는 지역적인 여건에 따라 크기 측면에서 부각시킬 수 없었기 때문에, 오히려 지형이 만들어내는 변수에 따라 건축적인 드라마를 전개하는 방법을 선택하였다. 또한 방문하는 신자의 수를 예측가능한 지역 성당과는 다르게 상황에 따라 다양한 방문자 규모를 가지는 순례지의 특성에 따라 탄력적으로 대응 가능하도록 미사공간이 조성되어 있다. 본관성당 및 지하성당의 내부는 순교성지라는 장소적 특성에 적합한 분위기를 형성함으로써, 또한 야외제대는 그 규모에 걸맞는 거대한 예수님성심상을 배경으로, 현대 신앙인의 종교체험의 갈증을 해소시켜 줄 수 있는 영적인 체험공간을 제공하고 있다.

광야의 세 번째 의미인 영적인 변화를 위한 순례의 행위는 자기 정화와 정립을 통하여 새로운 인생관을 갖추고 실존을 변화시키는 것이며, 순례지의 공간은 순례공간에 해당한다. 갑곶순교성지에 조성된 순례공간은 갑곶 십자가, 게쎄마니광장, 십자가의 길, 천국으로 가는 계단, 독서의 장, 성체조배실, 묵상의 마당으로 구성된다. "온전한 마음으로 머물러라, 홀로 머물러라, 다른 사람이 되어 나가라"는 성 알폰소의 말씀은 피정의 정신 및 자세에 대해 알려준다. 순례 역시 기도와 묵상을 통하여 궁극적으로 스스로 영적인 변화를 이끌어내고 다른 사람으로 거듭남을 목적으로 한다. 갑곶순교성지는 대지 전체적으로 산책로를 조성하여 십자가의 길, 천국으로 가는 계단 등의 순례동선을 조성하였고 곳곳에 혼자 또는 소그룹으로 기도를 올릴 수 있도록 쉼터 또는 설치물이 조성되어 있다. 순교자들의 과거를 만난 후 기도와 묵상을 통하여 순교자들의 마음을 더욱 잘 새길 수 있도록 곳곳에 이를 위한 작은 공간들을 확대할 필요가 있다. 개인과 단체 각각에 대한 순례와 피정 프로그램 그리고 주로 방문하는 고령층 외에 젊은 신자들을 위한 프로그램 등을 개발하고 이를 위한 순례공간의 확보는 갑곶순교성지의 차별화 및 질적인 성숙에 기여할 것으로 판단된다.

물질 만능화, 세속화, 무한경쟁 등의 현대 사회에서 현대인들은 잃기 쉬운 신앙과 영성을 되찾기 위하여 순례지를 찾는다. 선조들이 광야에서 하느님을 체험하고 영적 생명에 이르렀듯이 현대인들은 순례지라는 거룩한 장소에서 믿음을 확고히 하고 영성을 고취한다. 현재 우리나라에서 이루어지는 대부분의 순례는 단체 순례객들이 여행하는 기분으로 순례지를 방문하는 것 자체에 큰 비중을 두는 경향이 있으며, 순례지에 도착 후 단체로 미사에 참여하고 십자가의 길을 돌면서 함께 기도를 올리는 경우가 대부분이다. 향후에는 각 순례지별 역사성 및 장소성을 부각시키고 오랜 시간 동안 기도와 묵상을 하기에 적합한 환경을 조성하여 개인 또는 단체, 그리고 다양한 연령층의 신앙인들의 영적 변화를 적극적으로 유도할 수 있도록 발전되어야 한다.

주제어(Keyword): 광야, 순례, 순례지, 순교성지, 참배공간, 미사공간, 순례공간
Wilderness, pilgrimage, pilgrimage site, martyrs' shrine, worship space, mass space, pilgrimage space

참고문헌

강사문, 「성경에서의 광야(사막)의 주제」, 『장신논단』, 제16집 (2000년 12월): 10-33.

김수형 · 민현준, 「가톨릭 성지에 있어서 외부를 포함한 미사 전례 공간에 대한 연구」, 『한국문화공간건축학회논문집』, 통권 51호 (2015년 8월): 256-263.

김형석, 『백년을 살아보니』, 덴스토리, 2016

문은미, 「현대메모리얼의 개념 표현 특성에 관한 연구」, 『기초조형학연구』, 제9권 제6호 (2008년): 197-207.

문화체육관광부, 『한국 천주교 문화유산 실태조사 및 활용방안』, 2012.

박수경, 「영적 치유의 경관에 관한 지리학적 고찰: 한국 천주교 순례지를 중심으로」, 『대한지리학회지』 제51권 제1호 (2016년 2월): 143-166.

송봉모, 『광야에 선 인간』, 바오로 딸, 1998.

송봉모, 『여수 새 시대를 여심』, 바오로 딸, 2016.

윤민구, "손골성지 50주년을 준비하며", 『손골』, 제89호 (2013년 5월), 2013, www. rimartyrs.pe.kr

이기락, 「신앙생활과 성지순례-순례사목을 중심으로」, 『가톨릭신학과 사상』, 제57권 (2006년 9월): 129-151.

정은혜, 「신성공간이 주는 새로운 경관적 시각과 장소적 함의:'절두산 순교 성지'를 사례로」, 『한국사진지리학회지』, 제22권 (2012년): 71-86.

최경선, 『한국 근현대 100년 속의 가톨릭 교회(상)』, 가톨릭출판사, 2003.

최재상 · 고성룡, 「한국 가톨릭 순례성지 공간구성 및 시설 계획 연구」, 『대한건축학회연합논문집』, 제15권 제6호 (2013년 12월): 119-130.

한국천주교주교회의, 천주교 용어집, 2014, http://www.cbck.or.kr

네이버 국어사전, http://krdic.naver.com/

1http://blog.naver.com/ghroh7

갑곶순교성지 모바일 홈페이지 http://gabgot.com/insa

갑곶순교성지 리플렛

The Pilgrimage Site as the Wilderness in Modern City
− Case study of Gabgot Martyrs Shrine

Seung Ji Lee (Incheon Catholic University)

Religion is one of the fundamentals to human who contends with the meaning of original and eternal life. It consoles, give hope, and heals modern people. The pilgrimage is recommended that it can fulfill the above role of religion in the complex and worldly modern life. The wilderness has critical religious meaning in Christianilty. It is a stage of various events and recognized as a process to reach the spiritual life through spiritual experiences which is more than just a physical space. Unlike the past when the religion occupied a major part of the world of thought, individual spiritual experiences are magnified in the modern times. This study focuses on the pilgrimage site where these spiritual experiences are available in modern cities. The pilgrimage site is a main medium of religious experiences and can find the meaning as a wilderness in modern cities. This study aims to seek the spatial configuration of the pilgrimage site that coincides with the meaning of the wilderness. It considers the meaning of pilgrimage site as the wilderness in modern cities, analyzes the spatial configuration of Gabgot Martyrs Shrine, and suggests the improvement plan. The results are as follows: First, the wilderness is the place where the memory of God and martyrs lasts, and the worship space falls under among the pilgrimage site. Through constant research, indigenous storytelling of the worship space should be reinforced contributing to the spiritual maturity; Second, the wilderness is the place where true experience of ultimate existence of God occurs, and the mass space falls under among the pilgrimage site. The mass space should be flexibly managed according to pilgrim and maximize the experiences through forming proper atmosphere; Third, the wilderness is the places where the pilgrim experiences spiritual change by self purification through God, and the pilgrimage space falls under among the pilgrimage site. The pilgrimage space should contain spaces and programs to accelerate the spiritual change focusing on the pray and the meditation.

그리스도교 미술 연구 총서 9

광야

2017년 9월 30일 초판 1쇄 인쇄
2017년 9월 30일 초판 1쇄 발행

엮은이 · 인천가톨릭대학교 조형예술대학 그리스도교미술연구소
펴낸이 · 권혁재

편집 · 조혜진
출력 · 동양인쇄
인쇄 · 동양인쇄

펴낸곳 · 학연문화사
등록 · 1988년 2월 26일 제2-501호
주소 · 서울시 금천구 가산동 371-28 우림라이온스밸리 B동 712호
전화 · 02-2026-0541~4 | 팩스 · 02-2026-0547
E-mail · hak7891@chol.com | 홈페이지 · www.hakyoun.co.kr

책값은 뒤표지에 있습니다.
잘못된 책은 바꾸어 드립니다.

ISBN 978-89-5508-377-4 94600
ISSN 2234-0874